LA VENDA

FEDRA

Teatro

clásicos castalia

COLECCIÓN FUNDADA POR
DON ANTONIO RODRÍGUEZ-MOÑINO

DIRECTOR
DON ALONSO ZAMORA VICENTE

Colaboradores de los volúmenes publicados:

J. L. Abellán. F. Aguilar Piñal. G. Allegra. A. Amorós.
F. Anderson. R. Andioc. J. Arce. E. Asensio. R. Asún.
J. B. Avalle-Arce. F. Ayala. G. Azam. G. Baudot. H. E.
Bergman. B. Blanco González. A. Blecua. J. M. Blecua.
L. Bonet. C. Bravo-Villasante. J. M. Cacho Blecua. M.ª J. Ca-
nellada. J. L. Cano. S. Carrasco. J. Caso González. E. Ca-
tena. B. Ciplijauskaité. A. Comas. E. Correa Calderón. C.
C. de Coster. D. W. Cruickshank. C. Cuevas. B. Damiani.
G. Demerson. A. Dérozier. J. M.ª Díez Borque. F. J. Díez
de Revenga. R. Doménech. J. Dowling. M. Durán. H. Etting-
hausen. R. Ferreres. M. J. Flys. I.-R. Fonquerne. E. I.
Fox. V. Gaos. S. García. L. García Lorenzo. J. González-
Muela. F. González Ollé. G. B. Gybbon-Monypenny. R. Jam-
mes. E. Jareño. P. Jauralde. R. O. Jones. J. M.ª Jover Za-
mora. A. D. Kossoff. T. Labarta de Chaves. M.ª J. La-
carra. C. R. Lee. I. Lerner. J. M. Lope Blanch. F. López
Estrada. L. López-Grigera. L. de Luis. F. C. R. Maldonado.
N. Marín. R. Marrast. F. Martínez García. M. Mayoral.
D. W. McPheeters. G. Mercadier. W. Mettmann. I. Michael.
M. Mihura. J. F. Montesinos. E. S. Morby. C. Monedero.
H. Montes. L. A. Murillo. A. Nougué. G. Orduna. B. Pa-
llares. M. A. Penella. J. Pérez. J.-L. Picoche. J. H. R. Polt.
A. Prieto. A. Ramoneda. J.-P. Ressot. R. Reyes. F. Rico. D.
Ridruejo. E. L. Rivers. E. Rodríguez Tordera. J. Rodríguez-
Luis. J. Rodríguez Puértolas. L. Romero. J. M. Rozas. E. Ru-
bio Cremades. F. Ruiz Ramón. G. Sabat de Rivers. C. Sabor
de Cortazar. F. G. Salinero. J. Sanchis-Banús. R. P. Sebold.
D. S. Severin. D. L. Shaw. S. Shepard. M. Smerdou Altola-
guirre. G. Sobejano. N. Spadaccini. O. Steggink. G. Stiffoni.
J. Testas. A. Tordera. J. C. de Torres. I. Uría Maqua.
J. M.ª Valverde. D. Villanueva. S. B. Vranich. F. Weber de
Kurlat. K. Whinnom. A. N. Zahareas. I. de Zuleta.

MIGUEL DE UNAMUNO

LA ESFINGE
LA VENDA
FEDRA

Teatro

Edición,
introducción y notas
de
JOSÉ PAULINO

clásicos castalia

M a d r i d

Copyright © Editorial Castalia, S. A., 1987
Zurbano, 39 - 28010 Madrid - Tel. 419 58 57

Cubierta de Víctor Sanz

Impreso en España - Printed in Spain

Depósito Legal: SE-4925-2005 E.U.

ISBN: 84-7039-519-X
Printed by Publidisa

SUMARIO

INTRODUCCIÓN

I. El teatro en la biografía de Unamuno

A pesar del proverbial y reconocido fracaso de don Miguel de Unamuno en los intentos por estrenar sus obras y del nunca conseguido éxito de público y de crítica a lo largo de varias décadas, once obras originales, más la adaptación, por mano ajena, de una de sus novelas, una versión de Séneca y un sainete de juventud no pueden considerarse labor de menor importancia o aspecto incidental que distrae de otra tarea intelectual de más empeño. Al contrario, la persistencia del autor en la escritura dramática y las épocas en las que ésta se concentra merecen, al menos, unas líneas de presentación.

Sabemos de una temprana afición de Unamuno por el teatro, que termina en la escritura de un sainete cómico-costumbrista, *El Custion del Galabasa,* de carácter aldeano, que tal vez pueda datarse en 1880 y tal vez, si hacemos caso de los reparos razonables de Emilio Salcedo, unos seis o siete años más tarde. [1] La siguiente relación de Unamuno con el género se da sólo como ensayista, a veces tam-

---

[1] Publicado por M. García Blanco en el tomo XII de las *Obras Completas,* Madrid, Afrodisio Aguado, 1958 (pero 1962), pp. 1035-1042. En su edición del *Teatro Completo,* Madrid, Aguilar, 1959, da noticias de ese sainete, pronunciándose por la fecha de 1880 (pp. 168-171). Para la corrección de Emilio Salcedo, véase su *Vida de don Miguel,* Salamanca, Anaya, 1970, 2.ª ed., pp. 52-53.

bién como espectador, a través de una breve serie de artículos, de los cuales tiene especial interés el primero, que fija de alguna manera su pensamiento teórico, dentro de la perspectiva regeneracionista de mediados de la década de 1890 a 1900. Allí encontramos ideas como las expuestas con estas palabras:

> El teatro es, en efecto, la expresión más genuina de la conciencia colectiva del pueblo: nace con la épica y la lírica populares, cuando aún se ostentan éstas en unidad indiferenciada, y lleva a escena la vida dramática del pueblo, sus tradiciones y la gloria de su historia. [2]

Hay una crítica bastante certera del efecto negativo que para el teatro supuso su aclimatación a las necesidades del público burgués y unas propuestas de reforma y de cambio que no descienden de las abstracciones ideológicas, donde se mezclan ideas de origen marxista con otras de carácter religioso: [3] "En el fondo de todo problema literario, y aun estético, se halla, como en el fondo de todo lo humano, una base económica y un alma religiosa..." [4]

Las ideas de este ensayo tienen semejanza con las que, por el mismo tiempo, traza en su obra *En torno al casticismo,* y así dice Jesús Rubio: "En aquellos años de fe en unos ideales de fraternidad y justicia, su reflexión sobre el

---

[2] En el ensayo "La Regeneración del teatro español", fechado en 1896 y recogido en *Teatro Completo, cit.,* p. 1133. (Éste, como los demás, en el tomo XI de *Obras Completas, ed. cit.*) Fue comentado por Ramón Pérez de Ayala en un artículo de "Las Máscaras": "Ideas de Unamuno sobre el teatro." *El Sol,* 3 y 10 de marzo de 1918.

[3] Véase el libro de Rafael Pérez de la Dehesa, *Política y sociedad en el primer Unamuno. 1894-1904,* Madrid, Ciencia Nueva, 1966. También Demetrios Basdekis, "El populismo del primer Unamuno" en *La crisis de fin de siglo: ideología y literatura,* Barcelona, Ariel, 1974, pp. 242-251. Y textos de Unamuno en *Escritos socialistas. Artículos inéditos,* 1894-1922, Madrid, Ayuso, 1976, y María Dolores Gómez Molleda, *Unamuno socialista. Páginas inéditas de Don Miguel,* Madrid, Narcea, 1978.

[4] M. de Unamuno, *art. cit.,* en *Teatro Completo,* p. 1154.

teatro hay que incluirla dentro de otra más general acerca de la función social del arte." [5]

El siguiente escrito, *Teatro de teatro*, data de 1899 y en él leemos una justa crítica al teatro reiterativo, que se imita a sí mismo y de ese modo se esteriliza, frente a otro de ideas, simbolista, cuyo modelo español sería el *auto sacramental*. Tiene otro interés ese escrito, aparte de mostrarnos a Unamuno atento a las innovaciones teatrales de Europa, a la obra de Ibsen en particular, y es que puede ostentar alguna relación con sus dos primeras obras, de ideas, simbólicas, religiosas, reflejo de la crisis de 1897, *La Esfinge*, que acababa de terminar, y *La Venda*, ideada por esos mismos meses.

En efecto, esta vuelta, si así cabe llamarla, de Unamuno al género dramático, que marca una primera y breve etapa de su producción (1898-1901) es, posiblemente, resultado de la crisis religiosa y de la forma de ver el mundo que ella le ha dejado como efecto permanente. De hecho, los dos dramas escenifican, de modo distinto, experiencias personales, como comentaremos.

Tendrán que pasar casi nueve años para que encontremos una segunda etapa de producción dramática en la vida de Unamuno, coincidiendo con el estreno de *La Esfinge* en Canarias, por el año 1909. [6] Escribe entonces dos obras breves, de carácter cómico, un drama del tiempo y las generaciones, *El pasado que vuelve*, y finalmente *Fedra*, que cierra felizmente esa etapa, considerada por Iris M. Zavala como su época de formación en la dramaturgia. Y la cierra también con un nuevo texto teórico de cierto valor para conocer, en ese momento, las evolucionadas ideas unamunianas sobre el teatro: el prólogo enviado para la representa-

---

[5] Jesús Rubio Jiménez, *Ideología y teatro en España: 1890-1900*, Zaragoza, Universidad-Libros Pórtico, 1982, pp. 183-189. (La cita en p. 185.)

[6] Véase el libro de Sebastián de la Nuez, *Unamuno en Canarias. Las islas, el mar y el destierro*, Tenerife, Universidad de La Laguna, 1964, pp. 17-23. Y las noticias también en M. García Blanco, *ob. cit.*, pp. 51-58.

ción de *Fedra* en 1918, pero que, parcialmente, había ido
siendo enunciado en cartas y ensayos previos como "Las
señoras y el teatro" (1912), "De vuelta del teatro" (1913)
e "Impresiones del teatro" (1913). Unamuno tiene ya un
conjunto de dramas y una teoría que no es un puro planteamiento de ideas abstractas, sino una reflexión *a posteriori* de su trayectoria y del resultado al que ha llegado.
Resultado, trayectoria y reflexión que discurren en un sentido de correspondencia con el resto de su obra literaria.

En esa teoría del teatro tiene relevancia particular la oposición entre lo *dramático*, que se oye y que es, por tanto,
propio de la palabra, de la idea y de la pasión, y lo que
se ve, lo pantomímico o *teatral*, que es recubrimiento de
lo anterior y sólo pretende una reproducción, más bien particular y anecdótica, del hecho que se dramatiza. Distinción
que mantendrá, explicitándola, hasta 1918 para justificar
así su idea de la poesía dramática —desnudez e intensidad— y su decisión de hacer morir a Fedra fuera del escenario, para evitar que lo esencial de esa muerte se desvir-
túe por la imitación pantomímica de una actriz.

Escribe Unamuno en marzo de 1913, después de la experiencia, insólita para él, de seis noches de teatro en Salamanca:

> Y después de estas noches seguí soñando en un teatro
> sencillo, lo más sencillo posible, desnudo, sobrio, en que
> lo que se ve ayude y sirva a lo que se oye, pero no lo des-
> figure ni oscurezca... y huya, cuanto más pueda, de la
> pantomima y de la caricatura, o sea la exagerada carac-
> terización. [7]

Se trata, pues, de propugnar la necesaria proporción e
integración de estos componentes y la absoluta subordina-
ción del segundo al primero. Y esto porque, para Unamuno, el teatro es un medio de desvelar el interior, de desnu-

---

[7] "De vuelta del teatro", en *Teatro Completo, cit.*, p. 1175.
Acerca de estos conceptos puede verse Andrés Franco, *El teatro
de Unamuno*, Madrid, Ínsula, 1971, pp. 273-279.

dar el alma, que esto es lo dramático,[8] mientras el mimo y la "exagerada" caracterización ocultan porque fingen, es decir, engañan; muestran lo particular o inesencial de la realidad. Ahora bien, encontraremos más tarde que el problema con que Unamuno tuvo que bregar, vital, conceptual y artísticamente fue el de la vida como teatro. Así que al reclamar un teatro esencial, sobrio, clásico, está, a la vez, tratando de alcanzar una autenticidad existencial necesaria. La vida como drama ha de tener este carácter de desvelamiento esencial del espíritu y no convertirse en teatralidad huera frente a los otros. El teatro como la vida, ya que la vida es como el teatro.

Pero, precisamente a raíz de *Fedra,* quizá decepcionado nuevamente por la falta de acogida en los círculos teatrales, vuelve a abrirse un paréntesis de escritura para la escena, bien cubierto, sin embargo, por sus grandes obras narrativas, ensayísticas y poéticas que su tragedia anuncia ya y junto a las cuales se sitúa dignamente como avance. Diez años tarda Unamuno en volver a escribir un drama y será *Soledad* (1921), de nuevo coincidiendo con los breves éxitos obtenidos por *La Venda* y *Fedra* en varias representaciones, algunas de ellas en Salamanca, metido ya el autor en conflictos de carácter legal y político. Estamos, pues, en el tercer momento de su producción dramática, al que corresponden dos obras, la ya mencionada, fundamental en la concepción y evolución unamuniana del teatro, y del mundo, con puntos importantes de contacto con su primer drama, y *Raquel encadenada,* del mismo año.

Y los siguientes verán el estreno de *Fedra* en Roma, de *El pasado que vuelve* en el Teatro Español, de Madrid,[9]

---

[8] Idea que le lleva a apreciar al público como un agregado de individuos, de almas, frente a una posible comprensión más sociológica del conjunto como algo diverso de la suma de sujetos. Unamuno tenía una mala opinión de este público, el adicto al teatro en la época, como se recogerá en estos artículos que comentamos, vgr., "Impresiones del teatro" en *Teatro Completo, cit.,* pp. 1176-1182.

[9] En enero de 1923, *Fedra,* y en julio del mismo año, *El pasado que vuelve,* aunque esta última fue ya conocida anteriormente en

de *Todo un hombre,* adaptación que hizo Julio de Hoyos de su novela *Nada menos que todo un hombre* (1916) y que resultó uno de los más logrados triunfos dramáticos de Unamuno, como él reconocía, aunque no pudo verla por estar ya en el exilio. [10] Y precisamente en esa circunstancia vuelve, por última vez, en un cuarto momento de especial intensidad biográfica y emocional, a escribir para el teatro: es la trilogía del exilio, *Sombras de sueño, El Otro* (ambas de 1926) y *El hermano Juan* (1929).

Su regreso a España en 1930, su fama y su actividad pública anterior y posterior influyen, seguramente, en las mejores disposiciones que le ofrece un teatro español que se renueva y crece en inquietudes: *Sombras de sueño* se estrena en Salamanca; *El Otro,* en el Teatro Español, de Madrid (1932), con Margarita Xirgú y Enrique Borrás, quienes llevan también a Mérida, el año siguiente, la adaptación de *Medea.* En 1936 se estrena también *El hermano Juan* y Lola Membrives repone, en el teatro San Martín, de Buenos Aires, *El Otro.*

Excepto estos intensos cinco años, el resto de la labor dramática de Unamuno, que, como se ha visto, corresponde a señalados períodos de vivencias y experiencias personales, apenas llegó —sin regularidad y con escasa oportunidad— a la representación. Desde luego, no parece que pueda hablarse de efecto alguno o de influencia de Unamuno sobre el teatro de su tiempo. Los dramas fueron considerados marginales a otras ocupaciones intelectuales y, cuando se publicaron, fue con notable retraso respecto de la fecha de su composición. Y, con todo, no faltaron, desde bastante pronto, voces reivindicativas, como la de Melchor Fernández Almagro, quien, a propósito de *Fedra,* pero ya en 1930, escribía:

Salamanca. Véase E. Salcedo, *Vida de don Miguel, ed. cit.,* pp. 176-178 y 237.

[10] Estreno en el Teatro Infanta Beatriz, de Madrid, el 19 de diciembre de 1925, según noticia de M. García Blanco. Unamuno fue desterrado por Real Orden de 20 de febrero de 1924, saliendo de Salamanca el día 21, con dirección a Madrid, Cádiz y Fuerteventura.

Valle Inclán y Unamuno —hay que proclamarlo así para instrucción de rutinarios y supersticiosos— significan la cabeza —perfectamente erguida y aureolada de máximo prestigio— de nuestro teatro a la hora de hoy. [11]

II. PECULIARIDAD DEL TEATRO DE UNAMUNO

La pregunta más general que cabe hacer ahora, antes de entrar en el análisis particular de los dramas unamunianos, es por qué los escribe, aunque intermitentemente, a lo largo de toda su vida literaria. Y hay para esta cuestión una respuesta, matizada según los distintos críticos, pero unánime en su último componente: Unamuno escribe teatro por una necesidad insoslayable que está inserta en lo más profundo de su conciencia. No es sólo que tiente un género literario más para tratar de aumentar su fama o para ayudar a su precaria economía doméstica, razones que no se descartan, sino que la expresión adecuada de su problema general (vital y filosófico) no se completa más que con la peculiar forma de escritura que es el drama, "esfuerzo (de Unamuno) por reducir al escenario la realidad total". [12]

Pero en ese hecho general hemos de tratar de ver más minuciosamente las razones y el proceso, atendiendo a los dos aspectos implicados, el conceptual filosófico y el estrictamente literario. Así fue como lo orientó ya Fernando Lázaro al relacionar la cuestión temática y filosófica con la

---

[11] Melchor Fernández Almagro, "*Fedra,* tragedia desnuda". *La Gaceta Literaria,* 15 de marzo de 1930, p. 14. A partir del problema crítico que en el texto se plantea, nos habíamos empeñado en trazar una sucinta historia de la recepción crítica del teatro de Unamuno; sin embargo, para evitar un excesivo desarrollo de esta Introducción decidimos prescindir de esas páginas, que tendrían a continuación su lugar idóneo. Pero no queremos dejar de apuntar el interés que tiene la historia de la crítica sobre el teatro unamuniano.

[12] Con esta frase no sólo se pone de manifiesto un hecho característico del teatro unamuniano, sino el mismo planteamiento del libro fundamental de Iris M. Zavala, *Unamuno y su teatro de conciencia,* Salamanca, Universidad, 1963, p. 181.

estrategia literaria. En la primera ve planteado el problema del sentido del vivir humano de una manera patética y comprometida; la segunda se le ofrece como un modo directo e intuitivo de presentar esos problemas, mediante un personaje (trasunto humano esencial) viviendo y obrando. Y así, según el crítico, Unamuno no sólo escribe dramas, sino que elige preferentemente esta forma porque la representación está dotada de inmediatez, directa presencia y capacidad de impresionar. [13]

Hecha esta distinción y puestos sus términos en estrecha correlación, se puede dar el paso de unir en una sola esas dos vertientes e identificar aspecto ontológico y decisión literaria, ya que la ontología de Unamuno es, precisamente, su concepción dramática de la existencia, expresada repetidamente con las imágenes conceptuales del mundo-teatro y del hombre-personaje. Ésta me parece una de las mejores elaboraciones de Iris M. Zavala en su estudio, con la que nos abre ya a una dimensión única, decisiva y profunda del quehacer dramático unamuniano:

> Unamuno tiene un concepto teatral de la vida. Cree que la persona es esencialmente representación. Por esta concepción teatral de la vida insistió en escribir dramas, porque el teatro es el arte por excelencia para la revelación de la persona. [14]

La línea de esta configuración ontológico-dramática se sigue desde *Amor y pedagogía* (1902) hasta *Niebla* (1914), donde se plasma ya de manera definitiva. Pero se puede anticipar, [15] encontrando unas poderosas raíces en su refle-

[13] Fernando Lázaro Carreter, "El teatro de Unamuno", CCMU., VII, 1956, pp. 6-7.
[14] Iris M. Zavala, *ob. cit.,* pp. 157-158.
[15] Como vamos a mostrar, el origen está, sin duda, en la crisis de 1897, recogida en el *Diario íntimo.* Y notamos que, según algunas noticias que da Unamuno en su correspondencia con Gutiérrez Abascal, no hay mucha distancia temporal entre *La Esfinge* y el comienzo de la preparación de *Amor y pedagogía,* pues el 15 de enero de 1901 ya tiene terminada una versión de la novela: "Trabajo asiduamente y con empeño en una novela pedagógico-cómica,

xión en la crisis de 1897 y, por descontado, prolongar hasta *Cómo se hace una novela* y la visión "metateatral" de *Soledad* y *El hermano Juan*. De esa absolutización de lo dramático da también cuenta y testimonio Iris Zavala al escribir:

> Aquí está la base de todo este proceso. Es ver el hombre como el que es; como representación de sí mismo y como personaje para otra persona. Es decir, la única realidad que conocemos es la representada; de esa intuimos la *óntica* (Dios) e inferimos o indicamos la *noética* de la conciencia, la realidad de espectador. [16]

Todo lo cual nos lleva a resumir por fin esta primera reflexión diciendo que si Unamuno se dedica al teatro casi forzosamente, es porque el teatro realiza (como espectáculo-exteriorización) lo que la persona es (por esencia, interior y constitutivamente). Y el teatro permite u obliga a ser, a la vez, ficción y realidad, actor y personaje, apariencia y ocultamiento, yo y otro, de manera privilegiada. Ahora bien, este proceso es un camino que, como acabamos de decir, nos conduce hasta sus obras del destierro. Pero un momento inicial de especial importancia —y que aquí hemos de tener muy en cuenta— es el que corresponde a su primera obra dramática. En efecto, al leer *La Esfinge* observamos ya estos aspectos:

1. Es una evidente proyección personal, máximamente advertida y comentada por los primeros lectores y críticos, porque pone sobre la escena un personaje preocupado y angustiado por una crisis espiritual. En este sentido cumple uno de los posibles significados del título del estudio de Iris M. Zavala y es, efectivamente, "teatro de la conciencia", en su vertiente externa. [17]

---

de humorismo trascendental... El final, que leí a Galdós, le llamó mucho la atención por ser grotesco y trágico a la vez." *Cartas íntimas. Epistolario entre Miguel de Unamuno y los hermanos Gutiérrez Abascal*, ed. de J. González de Durana. Bilbao, Eguzki, 1986, pp. 112-113.

[16] Iris M. Zavala, *ob. cit.*, p. 160.

[17] *Id.*, p. 184.

2. Esa crisis es, además, una ficción que reelabora (como signos) muchos elementos de su propia angustia y episodios de su vida real, como mostraremos en el comentario posterior. Por ello se da también una proyección autobiográfica de carácter anecdótico.

3. En el *Diario*, primera expresión de la crisis, aparece ya la tensión persona/personaje que irá evolutivamente apoderándose de su obra dramática, así como la contraposición dialéctica entre el ser exterior/ser interior, que articula el drama de forma completa. [18]

Al describir de este modo el proceso de gestación de su obra inicial, se nos hace patente que Unamuno escribe teatro por una evolución casi necesaria o, si se quiere, por una tendencia natural a esa práctica literaria que se articula, ayudándose mutuamente, con su visión del mundo *sub specie theatri*. Siente, por efecto y resultado de su crisis, cómo se "teatraliza" su vida y de ahí concibe una teatralización general de la vida humana, que trata entonces de mostrar a través de la escena. Toda escisión que demanda una reconciliación es una potencial sustancia dramática; y esto lo explotará Unamuno haciendo, de su escisión personal, drama.

Ahora bien, es justamente el *Diario espiritual* [19] el que nos ayuda a matizar ese proceso, según observamos en los aspectos siguientes:

1. La *teatralización de la vida* es efecto, como decía, de la conversión del *yo* en personaje o de la conciencia refleja de su vivir como representar. Y esto aparece en el *Diario* con dos rasgos complementarios:

a) La máscara, que alude a la autoconciencia de don Miguel como sujeto humano y como personaje, escindido

---

[18] Véase Frances Wyers, *Miguel de Unamuno: The Contrary Self*, London, Tamesis Books, 1976.

[19] Las citas de este texto se refieren a la edición de Madrid, Alianza Editorial, 1983, que corresponde a la séptima de "El libro de bolsillo".

entre un ser y un actuar y sin acabar de decidir de dónde brotan sus decisiones.

b) La sociedad que rodea a la persona y que pasa a convertirse en el público que aguarda la actuación del personaje, con lo que, en definitiva, se refuerza la incertidumbre del sujeto hacia las razones de su obrar. [20]

2. La *situación dramática,* como resumen de esa experiencia vital y filosófica, se ciñe a la presencia de una conciencia (humana) frente a otra conciencia (divina). De ahí que la matriz única de las situaciones dramáticas del teatro de Unamuno (en particular, de las obras que aquí se presentan) sea la relación del hombre hacia Dios. [21] Esto hace que volvamos a la segunda acepción posible del "teatro de conciencia" como teatro *en* la conciencia. Y el conflicto interior, de fuerzas enfrentadas en el hombre, deviene conflicto exterior con la sociedad, con los demás: el sujeto está así entre dos instancias, entre dos modos distintos de presencia que se tornan conflictivos, es decir, dramáticos.

Cerramos este primer apartado con dos opiniones de críticos que, distantes en sus intereses e intenciones, son coincidentes en este aspecto. Dice Iris M. Zavala:

[20] "Con nuestra conducta, con nuestros actos, hechos y dichos vamos tejiéndonos nuestro pobre remedo, que acaba por esclavizarnos... / Y nos encontramos con un yo que el mundo nos ha hecho, o que nos hemos hecho esclavizándonos a él. Y es todo nuestro empeño ser fieles al papel que en el miserable escenario nos hemos arrogado y representarlo del modo que más aplausos nos gane." *Diario, ed. cit.,* pp. 96-97.

[21] En el mismo fragmento que corresponde a la nota anterior, añade Unamuno: " ¡Libertad, Señor, libertad! Que viva en ti y no en cabezas que se reducirán a polvo... / Se extrañarán del cambio, sin observar que no hay tal cambio ni de frente, ni de costado. Lo que hay es que el Miguel que ellos conocían, el del escenario, ha muerto y al morir ha dado libertad al Miguel real y eterno, al que ahogaba y oprimía, y eso que era la fuente de todo lo bueno del muerto." *Id.,* pp. 97-98. Y más tarde, en contexto de parecidas reflexiones, apunta: " ¡Vivir para la historia! ¡Cuánto más sencillo y más sano vivir para la eternidad! " *Id.,* p. 144.

Tener conciencia es representarse. Hay que hacer espectáculo de uno mismo. En su representación, en la del "otro" y en la representación de la sociedad desea Unamuno aprehender la última realidad: Dios. Esa es su búsqueda. [22]

Y por su parte F. Fernández Turienzo escribe:

En el orden literario se da en Unamuno la elevación de su vida a personaje, y en el filosófico, la elevación de su problema personal —el de su destino y finalidad— a único problema filosófico [y a tema esencial dramático, añadiría yo]. [23]

Este núcleo, donde reside lo más originario y peculiar de Unamuno como autor dramático, se manifiesta en algunos aspectos o rasgos, aún generales, que dan su perfil propio a este teatro, más en particular, a las obras que editamos. Son dos, a nuestro juicio, aunque ambos se relacionan y refieren recíprocamente: el teatro *situacional* y el teatro *de debate*.

Cualquier lector puede recordar escenas semejantes, es decir, situaciones repetidas que parecen versiones próximas de una situación fundamental, en los dramas de Unamuno. Este hecho señala ya una aproximación, aunque insuficiente, a nuestra característica del *teatro situacional*. Se puede definir mejor cuando nos damos cuenta de que ese teatro ostenta, de una manera poco dinámica, sin apenas acción exterior o cambio, un conflicto estable entre fuerzas necesariamente enfrentadas que, al repetirse como esquema fijo de una a otra obra, constituyen lo más esencial y característico de todas ellas. [24]

[22] Iris M. Zavala, *ob. cit.*, p. 186.

[23] Francisco Fernández Turienzo, *Unamuno: ansia de Dios y creación literaria*, Madrid, Alcalá, 1966, p. 106.

[24] Usamos el término "situación" adaptándolo de la obra de Etienne Souriau, *Les 200.000 situations dramatiques*, donde se elabora su definición en varios lugares del capítulo I, vgr., pp. 13, 49, 55. Se trata de la conjunción de fuerzas elementales que se ofrecen en un momento determinado de la obra: "Une situation dramatique... c'est la forme particulière de tension interhumaine

¿Y cuál es esa situación básica? Naturalmente, tiene que ver con lo que hemos expuesto de la vida como representación. Se trata de que los personajes dramáticos viven inmersos en su propia teatralidad y que la esencia última del teatro como espectáculo se convierte en la entraña del teatro unamuniano en particular. Veamos. Podemos reducir lo que es el teatro a un esquema simple de tres términos: unos actores representan ante un público una acción que ha sido concebida o planeada antes. Hay, por tanto, un creador, unos personajes y un público. Pues ésta, que es la situación *externa* de nuestro teatro, se convierte en la situación *interna* del teatro unamuniano, se duplica hacia adentro de cada obra, lo que confiere a todas ellas esa semejanza advertida y, al conjunto, una densidad e intensidad especiales y características. Así, el teatro de Unamuno representa (escenifica) la teatralidad como conflicto existencial.

Autor ⟶ | Autor —Personajes— Público | ⟶ *Público*

Pero, como ya hemos expuesto, ese esquema tiene dos dimensiones que se conjugan: la literaria, con sus propios términos, y la vital, donde son Dios, el hombre y la sociedad los términos correspondientes. Así que si organizamos ese doble conjunto en un esquema se nos manifiesta inmediatamente la complejidad y claridad del conflicto, cuyo eje es, precisamente, la dualidad o doble carácter del sujeto

---

et microcosmique du moment scenique" (p. 49). Esas fuerzas elementales o funciones diseñan para cada instante de la acción una *figura estructural*, la *situación*. Aquí, entonces, caracterizamos el teatro de Unamuno como un tipo de drama más bien (que no absolutamente) estático, donde se mantiene, desde el principio hasta el final, la misma figura estructural básica, la misma relación de fuerzas, sin cambios fundamentales, aunque dentro de ella sí hay determinada acción anecdótica.

Dios
|
Autor ——————— Persona/Personaje ————→ Público
|
Sociedad

Y si realizamos las fusiones necesarias, de nuevo el esquema se queda reducido a tres miembros, aunque cada uno de ellos escindido y problemático, con doble faz:

Dios/Autor
|
Persona/Personaje
↓
Sociedad/Público

Aquí se integra tanto el aspecto del destino humano (y Dios como origen y fin del hombre) como el aspecto de la personalidad (la división del sujeto humano en contrarios gemelares). En definitiva, el mundo-teatro como origen y resultado de la mayor parte de la dramaturgia unamuniana.

Podemos mostrar cómo se verifica esto en dos momentos de su producción, el inicial y el de madurez, a los que corresponde los dramas *La Esfinge* (1899) y *Soledad* (1921).

En *La Esfinge*, Ángel se debate entre una acción exterior que no corresponde a su íntimo deseo, pero le proporciona gloria, admiración, seguidores, y su dimensión interior que le lleva a la soledad, al silencio y a la paz, recluyéndole en sí mismo. Es el conflicto del personaje frente a la persona. Pero en tal conflicto se hacen presentes los otros dos términos: el personaje es propiedad de los seguidores, de los amigos, que son también "público", de la sociedad, mientras la persona busca en su interior la presencia problemática de Dios a través de la evocación de la niñez. Ángel profiere muchas reflexiones de Unamuno [25] y,

---

[25] El texto ya citado del *Diario*, pp. 97-98 (véase nota 21) es una perfecta exposición de esta situación de *La Esfinge* y corresponde a los sentimientos e ideas que Unamuno traspasa a su personaje.

entre ellas, las que se refieren a la problemática del mundo-representación (como queda, además, recogido visualmente en el juego del ajedrez, esbozo de un teatro dentro del teatro en proyección abismática):

> ÁNGEL. No hago más que representar un papel, Felipe; me paso la vida contemplándome, hecho teatro de mí mismo. El campo remachará mi tristeza; he nacido para la sociedad. [26]

Y después:

> ÁNGEL. ... Ganarán la partida unos u otros, blancos o negros, e irán luego confundidos a la misma caja para recomenzar otra vez, y otra. ¿Y la utilidad final? ¡Divertirnos, matar el tiempo! ¿No estaremos los hombres matando la eternidad de un Ser Supremo que con nosotros juegue? [27]

Soledad es el drama de un dramaturgo. Ya tenemos ahí expresada la situación característica. ¿Y cómo se manifiesta? En la ambición y en la vida de Agustín, el escritor. En la ambición totalizadora que le lleva a decir (para compararse finalmente con Dios: "Seré autor, actor y público. Me representaré a mí mismo y para mí mismo, para mi propio goce. ¡Autor, actor y público!" [28] Y en su vida (en su acción y en su drama como personaje), ya que por esa ambición pasa de gestar una ficción literaria a crear o realizar una ficción política que se le descubre, al término, como un Retablo de Maese Pedro, donde su papel efectivo resulta jugarse en una tragedia bufa.

Pero también aquí está constantemente presente la dimensión interior, cuya voz y encarnadura escénica es Soledad, la mujer, como otra instancia, la vertiente opuesta de la representación, que termina adormeciendo y acunando al hombre-personaje para la eternidad.

---

[26] Acto I, escena VI.
[27] Acto I, escena VIII.
[28] Acto I, escena VII. *Teatro Completo*, ed. cit., p. 604.

La identidad del conflicto dramático y de la situación teatral misma se pone ya de manifiesto en estos rasgos de la obra. Y queda también patente en las referencias mismas del diálogo. En efecto, de un modo explícito se dice que lo que se le plantea a Agustín, y en su medida a Soledad, es su condición de persona/personaje y su carácter de realidad-ficción. Recordemos a este propósito el siguiente fragmento:

> ENRIQUE.   ¡Sí, que está creando... y se está creando...,
> y hay cosas que cuando nos escarban y envenenan por dentro, sin dejarnos dormir ni descansar, lo mejor es sacarlas
> y echarlas fuera... a otros! Vale más ser un enajenado que
> un ensimismado.
> SOLEDAD.   ¿Qué quiere usted decir con eso?
> ENRIQUE.   Que haga con ello un drama y vuelva así a
> la vida de antes...
> SOLEDAD.   ¡Es que "esto" no es un drama, Enrique, esto
> es realidad!
> ENRIQUE.   ¿"Esto"?
> PABLO.   Y la realidad ¿no es drama?
> ENRIQUE.   ¡Y el drama realidad! ¡Qué drama lírico...
> esto! [29]

Como ésa no es una situación humana circunstancial, sino constitutiva de su existencia, digamos ontológica, realmente el conflicto es insoluble. El personaje aparece convocado por dos fuerzas opuestas que le agobian hasta que se entrega a una de ellas, ya en el término de su existencia. Los dramas de Unamuno, y así se nos muestra en estos que editamos, son dramas de crisis personales o pasionales, porque ser persona es equivalente de contradicción y de crisis. A la vez, y recíprocamente, la crítica ha visto este planteamiento constitutivo e irremediable como la proyección de la situación espiritual del autor. [30]

---

[29] Acto III, escena III. *Id.*, p. 641.
[30] Véase María del Pilar Palomo, "El proceso comunicativo de *La Esfinge*", *Semiología del Teatro*, Barcelona, Planeta, 1975, páginas 145-166.

También desde un punto de vista filosófico, confirma Fernández Turienzo nuestro análisis:

> Entre estos dos extremos, Dios-nada, pendula Unamuno. Y así continuó durante toda su vida. Este punto fundamental no se dilucidará jamás y Unamuno quedó condenado a vivir en crisis perpetua. [31]

Y desde ahí podemos aventurar algunas conclusiones que afectan a la constitución misma de sus obras como piezas literarias dramáticas:

1. El conflicto dramático en Unamuno es totalizador, en él se resume el ser y el destino de la persona y en él se insertan aspectos diferentes que lo manifiestan y lo completan: la oposición gloria/alma, cuya expresión más radical es hombre exterior/hombre interior (*La Esfinge, La Venda*...); razón/fe o, según San Pablo, carne/espíritu y, finalmente, nada/Dios, ficción de todo o última realidad garante de la ficción. La dimensión interior (Dios *intimior intimo meo* agustiniano) surge evocativamente en la fe de la infancia y en su encanto frente a la lucha y la guerra, el agonismo, representado por la política. [32]

2. El autor trata de presentar esa situación (que es la suya propia e irresoluble) a través de una historia, con una acción concreta y representable. Pero como sólo hay una situación, el drama queda estático. [33] Cambia en él sola-

---

[31] F. Fernández Turienzo, *ob. cit.*, p. 85. Esto, resumiendo lo dicho en el texto, ratifica y confirma nuestro análisis de que el drama es la proyección escénica de un problema personal y ello da origen a *una* situación dramática, estática y sin solución (ya que dura toda la vida y se hace crisis constitutiva).

[32] Los conflictos matrimoniales de *La Esfinge* y *Soledad*, tan diversos en sus planteamientos, tienen una raíz común y su común justificación en este punto, pues la mujer encarna, con mejor o peor fortuna y acierto dramático, como tendremos que discutir, una de las fuerzas del conflicto, y actúa para hacer vencer la parte que representa.

[33] Sería oportuno estudiar los cambios que ocurren en la acción de los dramas durante los tiempos vacíos de los entreactos para

mente el sujeto respecto de sí mismo (nunca, o casi nunca, las relaciones con los otros y de éstos con él).

3. Debido a ello, los diversos momentos del drama, cambio de personajes, visitas, ausencias, etc., no se preparan ni se justifican internamente. Su función es aportar nuevos elementos al debate, según el momento del protagonista en su conciencia.

4. Como el conflicto es constitutivo, resulta imposible llegar a una solución, como podría ocurrir partiendo de un desequilibrio ocasional de las fuerzas enfrentadas. Además, el conflicto es realmente interior al personaje. Por ello la muerte final (de Ángel, de Fedra, de Agustín) no viene a desenlazar el conflicto, sino que éste llega intacto hasta ese momento de ruptura, que no de solución. Los problemas de la acción-representación, de la inmortalidad y de la personalidad llegan hasta la muerte, porque no cabe respuesta última en la vida, ya que la vida misma es el conflicto.

Si adoptamos ahora el esquema estructural [34] que concibe la obra dramática como un proceso, desde una carencia o falta inicial, marcada por una ruptura, hacia una reintegración y equilibrio final con restauración de la falta o enmienda de la carencia, encontraremos una aplicación esclarecedora al teatro unamuniano que nos permitirá reforzar las reflexiones anteriores al permitirnos observar una secuencia sintética, válida para las obras que aquí comen-

---

mostrar si, como pensamos, los acontecimientos de la anécdota no se dramatizan, se sacan "fuera", mientras que en escena se muestra el "conflicto", es decir, el complejo estado de ánimo que corresponde a la esencial situación dramática de los personajes protagonistas.

[34] Aludimos al esquema propuesto por E. Souriau en su *ob. cit.* y ampliado y difundido por A. Greimas, *Semántica estructural*, Madrid, Gredos, 1973. Para el desarrollo posterior tenemos presente el artículo de María del Pilar Palomo, "Símbolo y mito en el teatro de Unamuno" en *El teatro y su crítica. Reunión de Málaga*, Málaga, Diputación Provincial, 1975, pp. 227-243.

tamos, en la que se despliega sintagmáticamente esa situación dramática única.

La falta inicial viene dada, precisamente, por una *carencia* de índole personal, tanto en Ángel como en Fedra, insatisfacción o pasión amorosa. En ambos casos se produce una ruptura con el orden social, que aparece en forma de antagonismo individuo/colectividad, bien a través de los otros, bien en el enfrentamiento con la ley (paternal). La carencia, simbólicamente, es la ceguera en *La Venda*; y también ahí se marca la ruptura, sobre todo en el cuadro II. Estos personajes carentes y conflictivos buscan una reintegración. Ángel con su dimensión infantil que le ofrece la fe y la paz como máximos valores vitales; Fedra con el amor y la identidad propia en él; María simbólicamente, yendo a la casa del padre. En su proceso van a encontrar los personajes antagonistas y obstructores (los más) y algunos auxiliares (como Felipe para Ángel), para concluir con la integración deceptiva o no lograda, con un fracaso que se convierte en muerte. Aunque resulta que para Ángel y Fedra esa muerte es la única posibilidad reintegradora, por lo que el fracaso tiene algo de solución, no evidente, sino enigmática y abierta. Tampoco María logra integrar su filialidad amorosa y su visión del Padre y debe, asustada, reclamar una vuelta a la carencia inicial frente al cadáver de su padre.

Hasta aquí la descripción del primer rasgo distintivo del teatro unamuniano, su carácter eminentemente situacional. Desde él podemos pasar fácilmente al segundo, que requerirá ya menos explicaciones. Hablamos de un *teatro de debate,* entendiendo entonces que lo más característico es el enfrentamiento u oposición de los conceptos, no de los caracteres o de las acciones.

Si definimos el teatro como una acción por la palabra en diálogo, habrá que añadir que, en el caso de Unamuno, ocurre que la acción es la palabra. De ahí la sensación expuesta por la crítica de que sus personajes encarnan conceptos, sin rasgos individualizadores ni matices personales, actuando, a veces, inoportuna e impropiamente, "fuera de situación".

Es que, como hemos dicho, la acción dramática apenas existe, más que como posibilidad de seguir debatiendo. Y los personajes no cambian dentro de sí ni en su relación con los otros, en todo caso se descubren hablando. De ahí también que el drama unamuniano cree artificialmente las ocasiones para hablar y las enfile de manera sucesiva. A este hecho podemos atribuir una de esas extrañas constantes de la construcción dramática, a saber, la sucesiva aparición de todos los personajes en cada uno de los actos, de modo casi "simétrico", a veces, en escenas paralelas, lo que confiere al conjunto la sensación ya comentada de estatismo y de repetición. Otro rasgo de ese debate es la profunda incomunicación: protagonista y antagonistas no se entienden, no se comunican, cada uno es un sí-mismo para sí, sobre todo en el caso de *La Esfinge*. Y no se entienden porque unos hablan de lo exterior, de la política, la gloria o la estética, y Ángel habla de lo interior, dimensión íntima que aparece, *a priori*, vedada a los demás. Aunque tal vez el modelo del debate dramático unamuniano sea la conversación de don Pedro y don Juan en *La Venda*. Finalmente, a esta misma característica hay que atribuir esos rasgos de orden lingüístico ya comentados por la crítica, como el esquematismo y conceptismo, el intelectualismo y exceso de literatura, el simbolismo. [35]

Concluimos de este modo el propósito de establecer la peculiaridad del teatro de Unamuno a partir de un núcleo generador y dos manifestaciones de carácter general. En este mismo intento podemos dar otro paso para desentrañar los componentes de sus dramas (con ejemplos de las obras que aquí se contienen) y estudiar, finalmente, cómo maneja las categorías y los procedimientos dramáticos. [36]

---

[35] Proponen y comentan estos rasgos F. Lázaro Carreter, *art. cit.*, A. Franco, *ob. cit.*, y Donald L. Shaw, "Sobre algunos aspectos técnicos del teatro de Unamuno". *Volumen Homenaje. Cincuentenario Miguel de Unamuno*, Salamanca, Edición de la Casa-Museo, 1986, pp. 501-514.

[36] En este momento parece oportuno recordar un poema de don Miguel, escrito el año 1929, en el destierro, por tanto, y guardado en su *Cancionero* (donde lleva el núm. 1344):

Tres componentes podemos señalar en el teatro unamuniano, siguiendo el interesante análisis de María del Pilar
Palomo y aprovechando otras aportaciones de la crítica. [37]
Vamos a exponer su articulación de modo esquemático,
pues todos estos elementos se encuentran recogidos en la bibliografía crítica usual:

a) *La conciencia personal única.* La identidad sustancial de los personajes protagonistas con el autor confiere
a los dramas el carácter de manifestación de la conciencia
individual. De ahí la distinción dramática de un personaje
señero (con profundidad y perplejidad de la conciencia)
frente a un conjunto apenas esbozado. Esto es lo que Lázaro Carreter caracterizaba como "drama unipersonal" y
tiene relevancia, ya que el protagonista está de modo con-
tinuo (o casi) presente ante el público, mostrando, incluso
por el uso del monólogo, ser el centro absoluto. Aquí se
inserta el valor autobiográfico y confesional de algunas
obras.

b) *La articulación dramática del conflicto.* Los enfrentamientos del personaje único y aislado con los demás re-
producen, de modo más o menos directo o velado, el de
Unamuno con su sociedad. Pero el mismo personaje se
desdobla en aspectos complementarios u opuestos (articu-
lando el conflicto interior) y se duplica frecuentemente en
amigos o confidentes. Las duplicaciones se muestran también en las repeticiones de escenas con los mismos personajes. Algunos elementos de la escenografía juegan ade-

---

Vivir representándose: la vida,
no sueño, representación;
la pieza repartida,
el mundo el escenario,
ya Tabor, ya Calvario;
acción es la pasión.
Y cuando llega al fin la última escena
cae el telón,
y a dormir; otros mañana endulzarán la pena
repitiendo la función.

(22-XI-1929)

[37] "Símbolo y mito en el teatro de Unamuno", *cit.*

más, como veremos, en esta articulación. Finalmente, intervienen elementos autobiográficos que a veces pasan de una a otra obra.

c) El conflicto dramático, con su personaje señero, se *integra en un mito o remite a él, con marcado componente religioso.* El problema repetido es el de la salvación, y ésta es en Unamuno de carácter religioso —relación última a Dios— incluso en *Fedra* (y por eso es una *Fedra* cristiana). En *La Esfinge* está el mito edípico unido al cristiano (paradisíaco) de la tentación y el pecado. En *La Venda* el mito bíblico integrador es el de la visión de Dios y la casa del Padre. En *Fedra* se trata ya en sí misma de un personaje mitológico, pero inserto en una dimensión cristiana que muestra al ser humano destruido por el pecado y reconciliado por la expiación.

Las categorías dramáticas y los personajes como tipos no han sido objeto de muchos comentarios. La habitual idea de que Unamuno no se interesa por la construcción de los dramas, dentro de la que se incluye el escenario, ha impedido ver algunos matices que no deben ser omitidos. Así, llegamos a aspectos concretos, pero también propios de esa peculiaridad de su universo dramático. Partimos de las acotaciones para generalizar luego respecto del espacio y del tiempo, del simbolismo de los signos auditivos y los tipos y funciones de los personajes secundarios.

En las tres obras aquí editadas es patente la sobriedad y aun esquematismo de las acotaciones que se refieren a la escenografía. Y todavía van en progresión decreciente, desapareciendo prácticamente en el caso de *Fedra.* Cuando hay acotaciones iniciales en los actos, su vaguedad e imprecisión son pretendidas: "una casa", "varias personas", "en una mesa", etc. A veces nos sorprende con detalles que, a primera vista, parecen menos pertinentes, como la atribución de familia "regularmente acomodada" a la de Ángel o cuando habla, en *La Venda,* de una "vieja ciudad provinciana". Pero tal vez haya aquí una evocación de la vida y experiencia del autor (de nuevo autobiografismo) y, en el caso de *La Esfinge,* un contraste pretendido entre la casa de Ángel y la de Felipe, que es una casa "modesta" (acotación del acto III). [38]

Habitualmente suprime Unamuno toda indicación de mobiliario, aspecto físico del actor y vestuario, hora del día, luces, etc. En cambio, sorprende de pronto la mención de algún objeto importante: armario de luna, retrato de mujer y crucifijo en *La Esfinge*. Estos objetos se indican en la acotación inicial, mientras otros, también importantes y necesarios en el desarrollo de la obra, sólo aparecen cuando son exigidos: ajedrez, libro, pistolas, carta... De este tipo de objetos hay tres en *La Venda,* que son la misma venda, el bastón (secundario) y el niño (si cabe considerar a éste como un objeto en vez de personaje, lo que puede ser discutible, pero no absurdo).

Los objetos destacados en la imprecisa acotación inicial tienen así un carácter único, que proviene de su importancia en la acción. De algún modo esos objetos concentran escénica y visualmente el núcleo del conflicto o su aspecto esencial en la situación de cada momento, de forma que intervienen en la acción de modo representativo y no meramente funcional. El espejo, por ejemplo, nos indica que el acto I de *La Esfinge* tiene como rasgo central el enfrentamiento del personaje consigo mismo; el retrato de la madre en el acto II, la situación escindida del mismo personaje entre dos figuras o imágenes de mujer (que deberían, según la lógica unamuniana, converger en una sola): la esposa y la madre; y ésta, a su vez, hace presente el doble misterio humano, el del origen (materno) y el del

---

[38] En el prólogo a *San Manuel Bueno, mártir y tres historias más* (1933), da Unamuno una indicación, aunque tardía, perfectamente aplicable al caso, respecto de esta sobriedad, que indica su carácter voluntario: "Como mi novela *Nada menos que todo un hombre* (1916)... la escribí ya en vista del tablado teatral, me ahorré todas aquellas descripciones del físico de los personajes, de los aposentos y de los paisajes, que deben quedar al cuidado de los actores, escenógrafos y tramoyistas" (ed. F. Fernández Turienzo, Salamanca, Almar, 1978, p. 66). A. Franco, *ob. cit.,* pp. 42-48, estudia la relación entre la técnica novelística de Unamuno y la dramática.

más allá de la muerte, junto con la necesidad de sencillez y de pureza con la que el hijo quiere aún, inútilmente, identificarse. Por fin, el acto III aparece presidido por un crucifijo que remite a la fe de la infancia de Ángel, al sentido de la trascendencia y del más allá y a la muerte misma, de modo que Ángel identificará su propia muerte con la escena del Calvario, al tomar las palabras del Buen Ladrón y dirigirse a la imagen de Cristo.

En *La Venda,* los espacios tienen aún menos función ambientadora (en clave realista) y más simbólica. Por ello basta el enunciado de una calle y una casa, porque precisamente funcionan con esa oposición de exterior/interior, de búsqueda y llegada, camino e intimidad, laberinto y reposo, mundo y casa del Padre.

Con *Fedra* alcanzamos esa desnudez que luego se ha convertido en lugar común al hablar del teatro unamuniano. Ninguna indicación del sitio, apenas del tiempo, una acotación necesaria de vestuario para respetar la tradición... La cuestión es saber qué ha logrado el autor con ello. Y creo que, conforme a lo que él mismo quería, ha conseguido una obra para oír más que para ver, un teatro de palabra y de palabra esencial y escueta. Pero, además, esa falta de ambiente "anecdótico" hace que la imprescindible función visual se concentre en lo único animado y de bulto sobre el escenario: el intérprete, es decir, su cuerpo. Lo que la obra establece entonces es una dinámica de la pasión, expresada por la palabra y por las relaciones corporales: proximidad, alejamiento, movimientos, desmayos, contacto, y, finalmente, de modo intensísimo, presencia o ausencia. (Completaremos el análisis después). Parece que así todo se concentra en los actores y en su corporalidad. Si no importa nada la elegancia o los encantos naturales de la actriz, pienso que sí importa absolutamente su presencia y la capacidad de transmitir corporalmente su pasión. Así, el lugar de la representación de la tragedia *Fedra* es el cuerpo de los actores (y, en su cuerpo, su voz). [39]

---

[39] Como veremos después, al comentar la tragedia unamuniana, se trata de un verdadero lugar dramático, en función del cual se

Otras acotaciones encontramos en las tres obras que merecen estudiarse porque son, además, abundantes. Se trata de aquellas que marcan los movimientos exteriores de los personajes y los movimientos interiores o del ánimo. ¿Por qué Unamuno concede importancia a este sistema secundario? Creo que por razones distintas y complementarias. En el primer caso, porque las referencias a los movimientos escénicos contienen una indicación de las relaciones y posiciones respectivas de los personajes en la situación dialógica de la obra. Señalan su sincera o fingida proximidad, su sumisión o alejamiento, incluso rasgos afectivos o emotivos de desprecio, ternura, etc. En el segundo caso, precisamente porque esos rasgos del espíritu son los esenciales del drama unamuniano, drama interior, de conciencia. También en este aspecto será *Fedra* la más escueta, pero las acotaciones que ahí encontramos y especialmente las que corresponden a los finales de los actos II y III, a la primera entrada de Hipólito y al repetido gesto de cubrirse el rostro con las manos, son de gran valor.

En conclusión, conviene retener estos tres aspectos esenciales del estudio de las acotaciones: ausencia (total o parcial) de las que se refieren al ambiente y a las características físicas de los personajes, presencia marcada de objetos significativos, abundancia e interés de las acotaciones que se refieren a estados de ánimo y movimientos. Esto confirma y especifica la línea de exposición que estamos manteniendo en estas páginas y comienza a mostrar, desde dentro, la identidad y coherencia de la práctica teatral de Unamuno. [40]

---

suprime toda referencia particular a otros. Por tanto, la representación debe mostrar la pasión existiendo corporalmente. La imitación mímica (que tanto odiaba Unamuno) destruiría la esencia de la innovación.

[40] Esta falta de detalle circunstancial tiene su correspondencia en la supresión del paisaje y de la descripción en la *nivola*. (Véase el tan citado prólogo de *Andanzas y visiones españolas*, en *Obras Completas, ed. cit.*, I, pp. 601-602.) Por otra parte, al hablar de "evolución" o cambio hay que referirse únicamente a las obras que aquí se editan, pues en *Soledad* y *El otro*, por ejemplo, vuelve el autor a un uso más amplio de la acotación y de la escenografía.

Veamos, como ejemplo, la relación del conflicto, la acción y el espacio en *La Esfinge*. Ángel está casi continuamente en escena, dentro de la habitación, mientras los otros personajes "entran" y "salen". Tal ocurre en su vida y en su conciencia, donde penetran los distintos aspectos de la realidad que ostentan esos personajes. Y la alternancia de atención y de omisión, el debate interno que se suscita viene a representarse por la oposición fuera/dentro de la escena habitación (identificando metonímicamente casa=sujeto). El conflicto esencial de la obra entre el hombre exterior y el hombre interior adquiere una dimensión estrictamente espacial en el juego del fuera/dentro de la escena, especialmente en el acto III. En él, la ventana es imprescindible, pues a ella se asoma Ángel para recibir la muerte. Indica el espacio límite, de comunicación, entre el *dentro* (de la escena, la conciencia y la verdad del personaje) y el *fuera* (la sociedad y la acción política). Se opone en su función al crucifijo y entre ambos resumen la contrariedad de la situación: humano/divina, político/religiosa, exterior/interior, histórica/trascendente, y los valores que Ángel no puede conciliar en sí mismo y que aparecen como pares de pérdida/salvación, egoísmo/renuncia, esclavitud/libertad. [41]

Fedra, entonces, es un caso más bien extremado, tal vez por el peculiar carácter experimental con que Unamuno la concibió. Lo que hay es una idea clara de cuál es el papel y el puesto de estos elementos materiales y de sus transcripciones verbales en la obra dramática, idea a la que se atiene Unamuno de forma continua y consecuente.

[41] Ya mostramos, en el texto, la presencia de objetos significantes, e indicamos sus funciones. Añadamos ahora el aspecto de profundidad que confieren a la obra, ya que, mediante ellos, se abre una dimensión interior en la misma escenografía, ayudando a visualizarla y corroborando la expresión verbal del actor. En *La Esfinge*, el espejo, el retrato y el crucifijo, símbolos espirituales; y ahí también una duplicación de la acción dramática como es el juego del ajedrez. La medalla de Fedra relaciona a ésta con su origen materno, pero pone también de relieve una cierta dimensión espiritual del personaje. El niño en *La Venda* es también como un espejo y representa la realidad profunda de María, la fe infantil y confiada que ahora pasa a él. *La Esfinge*, además, ofre-

No parece haber preocupado excesivamente a Unamuno la fijación minuciosa de la secuencia temporal de la anécdota. Bien es verdad que en *La Venda* la acción ocurre en el mismo tiempo en que se representa, con el breve lapso del cambio de cuadro... *La Esfinge* y *Fedra,* en cambio, seleccionan tres momentos particulares del proceso. Pero lo que interesa resaltar, de nuevo, es el efecto de profundidad conseguido por la relación entre el presente (representación) y el pasado (evocación) que es otra forma de la relación presencia/ausencia. Recordamos la reviviscencia del pasado como tema dominante de algún momento del diálogo, tanto en *La Esfinge* como en *La Venda.* [42] Es imposible entender a Ángel y a María, como personajes, si no es por ese momento infantil que ellos mismos evocan. También ese tiempo anterior, como perspectiva desde el presente, es importante en *Fedra,* a través de la continua referencia a la figura de la madre, señalada objetivamente por la medalla que la mujer lleva al cuello. Ese remoto origen está, sin embargo, velado y así aparece en la escena como un enigma que determina la fatalidad de cuanto presenciamos. Y, más aún, la clave del tiempo, del pasado y del presente de Fedra, la tiene la nodriza, confidente de su ama ahora y testigo antes de la vida de la madre y del origen de la hija. [43]

---

ce otros signos de tipo auditivo que nos remiten de nuevo a aspectos importantes de la realidad espiritual como mundo de paz y reposo que Ángel quiere alcanzar.

[42] Otro importante caso que no podemos estudiar aquí es el del caballo de cartón en *Soledad.*

[43] El personaje unamuniano, desde una exigencia exterior y actual debe luchar por reintegrarse a su dimensión interior que coincide, de alguna manera, con su pasado. El caso más claro es Ángel. También María lo hace, al pasar de su condición de vidente de nuevo a la de ciega, voluntariamente, para llegar a la casa de su padre. Fedra es víctima de su pasión y de su pasado al no poderse unificar en el recuerdo de una madre conocida y de una infancia confiada. Por ello crea una falsa imagen de la madre. Todo esto fue expuesto con claridad por María del Pilar Palomo: "Todos (los personajes) alcanzan la fusión con su anterior yo a través de un personaje que le *complementa...* Cuando ese personaje-confidente no puede ejercer su acción completiva, el personaje se deba-

Podemos así definir, para estas obras que comentamos, aunque no sería arriesgado extrapolarlo, un esquema muy general, como la cruz del personaje unamuniano:

Con esto podemos pasar al último punto de este apartado, que se refiere a los tipos de los personajes secundarios y sus funciones. Ya se ha observado el papel complementario que la nodriza representa respecto de Fedra o Felipe respecto de Ángel. Pero tal complementariedad es un concepto que supone no sólo una carencia, sino una escisión previa o un desdoblamiento. Cada personaje principal tiene junto a él (y frente a él) a su complementario, que lo es, precisamente, por presentar una parte de él mismo. Creo que esas parejas, en estas obras, se pueden resumir así:

Ángel — Felipe
María — Marta
Fedra — Nodriza
Pedro — Marcelo

La función de reconducir al personaje principal a su interioridad o a su verdad se puede ampliar, en vista de esta nómina, a la función de conocer aspectos del enigma de la vida y de servir de espejo a esos protagonistas, mostrándoles lo que son, distinto de lo que ellos conocen. Son confidentes, mediadores y réplicas.

Hay otros personajes, en apariencia accesorios, aunque no desprovistos de interés, que aparecen en estas obras y que reducimos a dos tipos (prescindiendo, por tanto, de otros que cumplen distintas funciones dramáticas, según

_____

te en trágica soledad, hasta provocar su propia muerte." "Símbolo y mito...", *cit.*, p. 230.

las obras): se trata de los médicos y de las criadas. Un médico, rival de Ángel, se destaca entre los amigos, en *La Esfinge,* del médico se habla en *La Venda* y otro médico es confidente del marido de Fedra. Y podríamos prolongar la lista con obras posteriores. Como se ve, tienen una función respecto de la intriga por muy forzada y —a veces— infundada que nos parezca. Pero tienen otra, respecto de la economía de la situación o conflicto profundo, que es representar el punto de vista de la ciencia, positivismo y racionalismo unidos, insuficiente para resolver los problemas, incluso para comprenderlos, porque parte de una clausura materialista. Ellos aportan el punto de vista de la razón y aparecen, por tanto, como antagonistas del personaje central, constituido, precisamente, por un conflicto de carácter espiritual.

También las criadas (jóvenes, ingenuas) se nos muestran con esa doble función. Dramáticamente cumplen con las tareas domésticas y sirven, convencionalmente, para anunciar visitas, dar las entradas e incluso rellenar tiempos aparentemente vacíos. Pero llama la atención las relaciones que tanto Ángel como Fedra establecen con sus respectivas sirvientas, porque nos indican el aspecto profundo (y de ahí la necesidad) de su presencia en el escenario. Son el contrapunto, en su sencillez, de la angustiosa complejidad del personaje central, donde éste encuentra descanso e incluso estímulo y entrevé una vía de salvación. Vienen entonces a representar el modelo unamuniano de la adhesión infantil, espontánea a la vida y a la fe.

Así que, como muestran estos casos, tenemos también por peculiaridad del teatro de Unamuno la reiterada elección de estos personajes tipificados y la doble función, anecdótica y esencial, que realizan, integrándose en todos los aspectos del drama. Nos indican igualmente —junto con la escenografía, los rasgos sociales de los personajes, algunos conflictos, etc.— que Unamuno parte de una estética naturalista (incluso costumbrista) que no llega a transformar nunca del todo, sino que la usa para sobrecargarla con un contenido propio, manifestación siempre de su conflicto de conciencia.

Y de este modo comprobamos la absoluta interconexión
y dependencia de todos los aspectos dramáticos en las obras
de Unamuno, como no podía ser menos, potenciados estética y expresivamente: ideología y religión, género literario, núcleo del conflicto dramático, organización formal y
disposición de la acción, categorías espacio-temporales,
elección y funciones de los personajes. A partir de un núcleo en que se identifican problema existencial y concepción literaria (el mundo *sub specie theatri*) el resto de los
elementos se articulan para producir un teatro —a veces
insuficientemente renovador— marcado por la decisión firme de ser lo que es y de separarse de lo que, para Unamuno, acostumbraba a ser.

III. Estudio particular de las obras

1. La Esfinge, *drama confesional*

Leyendo las páginas que Manuel García Blanco dedica
al proceso de creación de esta obra y los trabajos críticos
posteriores de Iris M. Zavala y A. Franco, advertimos una
coherente línea de exposición que trata de situar *La Esfinge* en relación con la crisis de 1897 y con los escritos que
a ella se refieren. Zavala muestra con detalle aspectos autobiográficos y A. Franco señala ya coincidencias entre el
texto dramático y el *Diario* íntimo. [44]
Pero aún podemos acercarnos con nuevos matices al proceso de proyección autobiográfica de Unamuno en la obra.
Especialmente trataremos la relación o semejanza, hasta la
identidad, de frases, citas y pensamientos de Ángel con
reflexiones consignadas por Unamuno en su *Diario,* de
modo que quede patente el alto grado de coincidencia de
uno y otro. Pero comencemos por recordar algunos aspectos esenciales que aparecen ya contenidos en el artículo
de María del Pilar Palomo:

---

[44] Iris M. Zavala, *ob. cit.,* pp. 15-19, y A. Franco, *ob. cit.,* páginas 72-83.

la unión de emisor y referente en el teatro unamuniano es un hecho constatado (el autobiografismo vivencial apuntado por voces coetáneas, señalado por la crítica y declarado por el propio autor). Pero no se trata únicamente de la subjetivización del referente (propia de toda función emotiva del lenguaje), sino de la parcial identificación del propio emisor con la misma sustancia de lo emitido, de tal manera que el *yo* unamuniano (que resuena insistentemente) es, a la vez, la voz que emite el mensaje y el enunciado del mismo. [45]

Unamuno es, en esta obra, como termina afirmando la autora, emisor, referente, receptor (primero) y hasta frustrado canal de comunicación.

Partiendo de este hecho, podemos buscar primero la raíz común de algunas coincidencias de Ángel y Unamuno en aspectos generales para encontrarla en el soberano ensueño de inmortalidad, en esa sed que es "la fuente de las heroicas acciones; la sed de una o de otra inmortalidad". [46] Y entre ambas se produce la dramática escisión que aparece como el problema de la verdadera libertad (la de uno mismo frente a los demás):

Lo que ante todo y sobre todo ansío es libertad, libertad, verdadera libertad. Libertad de ser dueño y no esclavo de mí mismo. Libertad que consiste en ser como sea y no como los demás quieren hacerme. Porque la perdición de todo el que se muestra al público es que en torno a su sujeto íntimo, el que se desarrolla desde dentro a fuera a partir del eterno núcleo, nos forma el mundo otro sujeto... un sujeto construido de fuera a adentro, un caparazón que acaba por conquistar el íntimo. ¡Qué admirablemente describió San Pablo la lucha de estos dos sujetos, de estos dos hombres que llevamos todos! [47]

---

[45] María del Pilar Palomo, "El proceso comunicativo de *La Esfinge*", cit., p. 149.

[46] "Sueño y acción". *Obras Completas, ed. cit.,* vol. V, pp. 112-113.

[47] Carta de Unamuno a Jiménez Ilundáin, de 3 de enero de 1898, *apud* Hernán Benítez, *El drama religioso de Unamuno*, Buenos Aires, Universidad, 1949 (Instituto de Publicaciones), p. 260.

Tenemos aquí expresados los dos grandes motores de la angustia y de la tensión de Ángel (Unamuno) y apuntados, además, los otros elementos en que se va a diversificar, es decir, el voluntarismo de la fe (para afirmar la inmortalidad), la tensión paulina entre el hombre exterior y el interior, y la necesidad o posibilidad de convertirse uno en su propio personaje ante los demás. Son éstos tres rasgos de extraordinaria importancia que parecen de forma recurrente en el *Diario íntimo*. De algún modo, la entraña vivencial de *La Esfinge* se encuentra en párrafos como los siguientes:

> ¿Por qué he de matar mi alma, por qué he de ahogarla en sus aspiraciones por aparecer lógico y consecuente ante los demás? / Es terrible esclavitud la de vivir esclavo del concepto que de nosotros han formado los demás. Es terrible esclavitud la esclavitud de la vanagloria (...) / Dios me ha llamado, debo oírle. Que los demás no comprenderán esa llamada ¿he de vivir esclavo de ellos? [48]

Y ya en el cuaderno tercero anota:

> Hay que volver a sí y proponerse el verdadero problema: qué será de mí? Vuelvo a la nada al morir? Todo lo demás es sacrificar el alma al nombre, nuestra realidad a nuestra apariencia. [49]

San Pablo es un autor poco citado al comienzo del *Diario*, pero su presencia se hace muy importante hacia el final. Posiblemente de él toma Unamuno la idea de la dualidad del hombre que proyecta sobre su propia experiencia del individuo como actor y la vida como representación. En *La Esfinge* responde Ángel a Felipe, que le sugería que buscase consuelo en la soledad: "¡Lo convertiría en literatura al punto! No hago más que representar un papel, Felipe; me paso la vida contemplándome, hecho teatro de mí mismo" (I, VI). Tal vez haya pocos pensamientos tan repetidos en

---

[48] *Diario íntimo, ed. cit.,* pp. 86-87.
[49] *Id.,* p. 121.

el *Diario* como éste, que dio a Sánchez Barbudo la clave para su exégesis de la crisis. Y podemos advertir el detalle de que, en el conjunto de la obra, la representación de Ángel es política, mientras que aquí se dice "literatura", volviendo directamente a la verdadera preocupación unamuniana. Otras referencias a la vida como representación se dan de este modo en el *Diario*: "La comedia de la vida... Y llega al punto de representar a solas y seguir la comedia en soledad..." "¡Sencillez, sencillez! Dame, Señor, sencillez. Que no represente la comedia de la conversión, ni la haga espectáculo, sino para mí." "He vivido en la necia vanidad de darme en espectáculo, de presentar al mundo mi espíritu como un ejemplo digno de ser conocido." [50]

En la línea autobiográfica retrospectiva que va del drama al *Diario,* nos ha interesado hasta aquí una actitud fundamental, un modo problemático de estar en la existencia que Unamuno ha experimentado profundamente y sobre la cual ha construido personaje y situación dramática. Ahora además podemos considerar el drama como un enlazado, sobre esa trama de hondas y repetidas preocupaciones, de anécdotas que son simple trasposición de las acaecidas al autor. Aunque se conocen, consideramos importante recordarlas con algunos de sus pasajes paralelos.

La experiencia de la contemplación en el espejo (y la alienación) se recoge en el mismo *Diario* (y en otras obras, por supuesto):

Y llegan momentos en que nos vemos fuera de nosotros mismos, como sujetos extraños, visión que entristece porque nos aparecemos en toda nuestra vanidad, como sombras pasajeras. Yo recuerdo haberme quedado alguna vez mirándome al espejo hasta desdoblarme y ver mi propia imagen como un sujeto extraño, y una vez en que estando así pronuncié quedo mi propio nombre, lo oí como voz extraña que me llamaba, y me sobrecogí todo como si sintiera el abismo de la nada y me sintiera una vana sombra pasajera. Qué tristeza entonces! Parece que se sumerge

[50] *Ed. cit.,* pp. 20, 27-28 y 143, respectivamente. Y recuérdense los textos paralelos ya citados en notas 20 y 21.

uno en aguas insondables que le cortan toda respiración
y que disipándose todo, avanza la nada, la muerte eterna. [51]

El lector puede comparar esta confesión con la escena
que cierra el acto I y notar la importancia que tiene el texto en ese momento crucial del drama. El valor de revelación es el mismo. [52]

En segundo lugar, el miedo a la muerte por el *angor
pectoris* [53] que le atormentó en aquellos meses y las fanta-
sías de suicidio (II, X) que llegan, de nuevo, hasta *Cómo
se hace una novela,* resumen de tantos temas autobiográficos aquí planteados como obertura y allí recogidos como
coda o síntesis. "Y me he acordado de otras tentaciones
parecidas, ahora ya viejas, y de aquella fantasía del sui-
cida de nacimiento que imaginé que vivió cerca de ochenta
años queriendo siempre suicidarse y matándose por el pensamiento día a día." [54] Pero biográficamente la referencia
que nos importa más es de nuevo la del *Diario,* porque
también aquí se muestra cómo *La Esfinge* es la trasposición al escenario real de un drama interior ya vivido:

> Esto es imposible. Ahora me persigue la idea del suici-
> dio. Hace un rato pensaba en que si me inyectara una
> fuerte cantidad de morfina para dormirme para siempre.
> Y me veía, recién inyectado, aterrado ante la muerte, anun-
> ciando mi hecho para que acudieran a curarme, echando

---

[51] *Ed. cit.,* pp. 49-50.

[52] Sólo a modo de indicación somera, cabe mencionar otros pasajes en el drama *El Otro* y en *Niebla* (cap. XXII) y equivalentes del espejo como los ojos, el hermano, etc. Recordemos igualmente *Cómo se hace una novela,* en *Obras Completas, ed. cit.,*
vol. X, con interesantes paralelos. En la *ob. cit.* de Iris M. Zavala
hay un sugerente apéndice sobre este asunto, pp. 184-191.

[53] Ya comentado también por A. Franco. Véase E. Salcedo, *ob.
cit.,* p. 89, quien lo relaciona con el grito de Concha, " ¡Hijo mío!"
y también Armando Zubizarreta, *Tras las huellas de Unamuno,*
Madrid, Taurus, 1960, pp. 128-130, y Luis S. Granjel, *Retrato de
Unamuno,* Madrid, Guadarrama, 1957.

[54] M. de Unamuno, *Cómo se hace una novela* en *Obras Completas, ed. cit.,* vol. X, p. 867.

a correr desesperado y a sudar y a agitarme para vencer al sueño y a la morfina. [55]

El tercer rasgo notable es el conocidísimo pasaje de su presunta llamada al sacerdocio, merced a la manifestación del texto sagrado abierto al azar. Lo encontramos referido en carta a Jiménez Ilundáin de 25 de mayo de 1898, en carta a Gutiérrez Abascal y en *Una historia de amor*. [56] Pero de nuevo nos interesa sobre todo la relación de la escena II del acto III de *La Esfinge* con el *Diario*. Y ahí encontramos su paralelo, aunque esta vez, por la característica y destino del *Diario*, no haya relato alguno, sino la cita literal y en latín de los dos textos evangélicos, el de Mc., 16, 15 y el de Jn., 9, 27. Es suficiente.

Por fin, recoge también *La Esfinge* la visión que tenía el propio Unamuno de su proceso de racionalización y pérdida de la fe. Véase el diálogo de Ángel-Felipe en III, II y este texto del *Diario*: "Con la razón buscaba un Dios racional, que iba desvaneciéndose por ser pura idea..." [57] (y el pasaje correspondiente de E. Salcedo).

Hemos dejado hasta ahora, por su especial importancia, una anécdota que cierra el drama de Ángel. Se trata de la que Unamuno cuenta tantas veces a sus amigos de la noche de marzo de 1897, cuando despertó aterrorizado y su

---

[55] *Diario íntimo*, ed. cit., p. 124. La referencia al suicidio la recoge también Emilio Salcedo en su biografía de Unamuno, en relación con Ángel Ganivet y la situación española, *ob. cit.*, pp. 97-99.

[56] Según las ediciones del epistolario en Hernán Benítez, *ob. cit.*, pp. 267-268; *Cartas íntimas*, ed. cit., p. 45. *Una historia de amor* en *Obras Completas*, vol. XVI, p. 711 y *passim*. El relato puede encontrarse también en E. Salcedo, *ob. cit.*, p. 37, quien a su vez se remite a la carta a Jiménez Ilundáin. Y cf. José María Pemán, "Unamuno o la gracia resistida", *ABC*, 29 de marzo de 1949.

[57] *Diario*, ed. cit., p. 15, y E. Salcedo, *ob. cit.*, p. 45. Con frase semejante esboza el esquema argumental de un cuento proyectado en carta a Clarín: "En puro querer racionalizar la fe la pierde (así me sucedió)", etc. *Epistolario a Clarín*, Madrid, Ediciones Escorial, 1941, p. 53 (Carta de 31 de mayo de 1895). Ampliamos algunas referencias en nota correspondiente del texto.

mujer, Concha, le abrazó llamándole "Hijo mío". Esa experiencia de filiación de la propia esposa se convierte en elemento constitutivo del arraigo existencial unamuniano [58] y, por lo mismo, es la adecuada para cerrar la obra, como reconciliación definitiva, encuentro de Ángel (Unamuno) con su niñez, con la paz interior en la fusión de las dos imágenes femeninas contrapuestas en el acto II.

Con estos pasajes tan importantes, y por ello tan conocidos, no agotamos las referencias autobiográficas de *La Esfinge*. Aunque un rastreo minucioso diese otras muchas a luz, éstas ponen ya en evidencia no sólo la identidad de creador y criatura literaria, sino la dependencia del texto dramático en relación con el texto del *Diario* y el modo de composición que engarza anécdotas y hechos concretos y aislados sobre una trama general de preocupaciones. Pero hay más todavía. La relación llega hasta la selección de los pasajes de la Escritura y el aprovechamiento de reflexiones íntimas consignadas en el *Diario*. Por ello vamos a tratar de encontrar ahí el origen de otros aspectos más particulares del drama. De nuevo lo haremos de forma necesariamente sucinta.

Como hemos dicho, un primer grupo de coincidencias nos remiten a los pasajes comunes de la Biblia. Así, encontramos las palabras del Buen Ladrón a Jesús en la cruz, citadas, en boca de Ángel, en la última escena y recogidas varias veces en el *Diario*. La relación es clara, atendiendo al problema de la salvación, así que la cita no es mera-

---

[58] Recordemos que esta anécdota es bien conocida por haber sido utilizada y referida en múltiples ocasiones por el propio Unamuno. También la recoge, por supuesto, E. Salcedo en *ob. cit.*, p. 89. De Unamuno puede recordarse: *Amor y pedagogía, Soledad, El Otro, El hermano Juan*, donde la usa, y sus reflejos llegan hasta *Cómo se hace una novela* y *San Manuel Bueno, mártir* (capítulo XIV, por ejemplo). Aparece referida en otros pasajes de "Cartas a mujeres" en *De esto y aquello* (*Obras Completas*, vol. VIII, p. 908) y de *Vida de Don Quijote y Sancho, Obras Completas*, vol. IV, pp. 313-314, y en la correspondencia con Jiménez Ilundáin (carta de 3 de enero de 1898), Clarín (carta de 9 de mayo de 1900), Pedro Corominas (carta de 11 de enero de 1901), Joan Maragall (carta de 15 de febrero de 1907).

mente casual u oportuna, sino necesaria. [59] El relato de *Génesis* al comienzo del acto III constituye, sin duda, uno de los pasajes más bellos del drama: consigue comunicar una atmósfera de paz. Y también ese texto había sido recogido en el *Diario* y destacado en él:

> *Eritis sicut dii*, así tentó el demonio a nuestros primeros padres. Ser Dios, tal es la aspiración del hombre. Y Dios se hizo hombre para enseñarnos cómo nos hemos de hacer hijos suyos, como lo fue su Hijo, que nos enseñó que fuésemos perfectos como su Padre. [60]

El texto enlaza con la sencillez, con la necesidad de ser bueno y el anhelo de paz. Ángel recuerda entonces las enseñanzas del viejo párroco de su niñez, con la integración hermosa de un mundo presidido por la fe. Y la frase que le vuelve a la memoria es "a ser bueno, Ángel". Y dos veces, por lo menos, aparece en el *Diario* una meditación sobre esas palabras:

> ¡Ser bueno! ¡Qué inmenso campo de meditación aquí! ¡Ser bueno! Ser bueno es hacerse divino, porque sólo Dios es bueno. [61]

El nombre y la función de Felipe en la obra tienen un carácter simbólico, basado también en un pasaje de los *Hechos de los Apóstoles* que impresionó a Unamuno. Así lo recogía en el *Diario*: "*Sencillez*. Conversión del eunuco

---

[59] Anota en el *Diario, ed. cit.,* pp. 32-33: "Sólo de un hombre nos enseña el Evangelio que fuera salvo, sólo a un hombre canoniza el Evangelio, sólo a uno dice Jesús *mecum eis in paradiso,* y es éste un ladrón, un pecador... / ¿Por qué se salvó el ladrón?... Reconoce humildemente su pecado y la inocencia de Jesús, se cree digno del castigo que sufre..." Y concluye: "He aquí su acto de fe: cuando llegues a tu reino..." De nuevo en p. 56 interpreta Unamuno las palabras del ladrón como confesión de fe en la divinidad de Jesús.

[60] *Diario, ed. cit.,* p. 73.

[61] *Id.,* p. 93. Esto aparece en el acto I de la obra, cuando Ángel llama "bueno" a Felipe y éste rechaza ese calificativo con las palabras del mismo Jesús. Y se repite en el III.

etíope de Candace por Felipe el apóstol, 26-40./ He aquí
un admirable ejemplo de sencillez...", etc. [62] Felipe le interpreta al ministro las palabras de un libro sagrado y trae
a Ángel un libro para calmar sus angustias. Las palabras
que pronuncia ("escribe allí en calma y con pureza de intención cuanto Él te inspire") son reflejo de las que Unamuno se decía a sí mismo en el *Diario*, y el carácter de esa
figura está señalado en las mismas palabras de Ángel: "Sí,
algo te ha impulsado a venir; tienes que ser un providencial mensajero, un enviado del Espíritu, un ángel." Tal
como aparece el diácono en el relato de los *Hechos*.

Algunas de las más serias reflexiones de Ángel estaban
también contenidas en el *Diario*. Son conocidas, pero no
podemos olvidarlas. Así, la llamada a la sencillez y a la
paz, (véase *ed. cit.*, pp. 21, 27, 31, 67, 90-91, 117, 136),
el rechazo del esteticismo (pp. 154-155), la necesidad de
entenderse las almas desnudas (p. 135), la enfermedad del
yoísmo (pp. 54, 144 y 153), el pensar en la muerte es ser
hombre (pp. 25, 27, 81, 91) y la representación de un papel en la vida (pp. 14, 20, 27-28, 96-97, 142-143). De esta
manera, otro de los aspectos del personaje, los contenidos
de su propia reflexión y aun el mundo de sus referencias
religiosas, aparece sustentado en la experiencia de la crisis
de 1897 y, más aún, en los textos mismos que Unamuno
dejó como testimonio de tal crisis en el *Diario*. [63] Y aun en

---

[62] *Id.*, pp. 170-171.

[63] Puesto que es motivo central en la biografía y en la crítica
unamuniana, desborda los objetivos de este comentario un análisis,
aun somero, de la referida crisis y una relación bibliográfica exhaus-
tiva acerca de ella, pero tal vez convenga tener en cuenta los siguientes comentarios: Pedro Corominas, "La tragica fi de Miguel
de Unamuno", *Revista de Catalunya*, 1938, pp. 155-170; Nemesio
González Caminero, *Unamuno: trayectoria de su ideología y de su
crisis religiosa*, Santander, Universidad Pontificia de Comillas, 1948;
Hernán Benítez, *El drama religioso de Unamuno, cit.*; Antonio Sánchez Barbudo, "El misterio de la personalidad de Unamuno",
RUBA, VII, 1, 1950, pp. 201-254. "La fe religiosa de Unamuno",
RUBA, VIII, 2, 1951, pp. 381-443. "Una experiencia decisiva: la
crisis de 1897" y "El *diario* de 1897" en Estudios sobre *Galdós,
Unamuno y Machado*, Madrid, Guadarrama, 1959 (3.ª ed., Barce-

cosas de poca importancia, aparentemente, se muestra el *Diario* como la fuente de las situaciones dramáticas de la obra. Recordemos tres casos:

— En la escena IX del acto I Ángel intenta rezar, volviendo a las prácticas de niño, humillándose. Y la humildad es tema recurrente del *Diario*. Pero nos interesa ahora fijarnos en que su oración es el Padrenuestro, la misma que es comentada dos veces en el *Diario*. [64]

— Felipe propone a Ángel que vaya al campo para hallar a Dios y la paz, como eco de las reflexiones unamunianas acerca del poder pacificador de la naturaleza: "el sentimiento de la naturaleza es un sentimiento cristiano... Algo así debe ser la gloria: una inmersión en eterna calma, y un verter en eterna oración el espíritu". [65]

— La música aparece en un momento crucial del drama para arrebatar a Ángel de la tentación del suicidio (II, X). Pero lo arrebata hacia adentro, hacia el mundo interior del pasado y de la piedad. Como se anuncia, por ejemplo, en esta reflexión: "Entre los dones que debemos a la Bondad de Dios es uno de los mayores la música.../ La música ahonda nuestros sentimientos, los nuestros; hace que seamos más nosotros mismos.../ Es la música como un sacramento natural, una revelación natural del canto con que la naturaleza narra la gloria de Dios." [66]

---

lona, Lumen, 1981, pp. 88-122 y 123-160). Charles Moeller, "Miguel de Unamuno y la esperanza desesperada" en *Literatura del siglo XX y cristianismo*, Tomo IV, Madrid, Gredos, 1960, pp. 55-175; Armando Zubizarreta, "La inserción de Unamuno en el cristianismo: 1897" y "Miguel de Unamuno y Pedro Corominas. (Una interpretación de la crisis de 1897)" en *Tras las huellas de Unamuno*, Madrid, Taurus, 1960, pp. 111-152 y 153-195. *Unamuno en su "nivola"*, Madrid, Taurus, 1960. Francisco Fernández Turienzo, *ob. cit.*; E. Rivera de Ventosa, "La crisis religiosa de Unamuno", CCMU., 16-17, 1966, pp. 107-133. Luciano González Egido, *Salamanca, la gran metáfora de Unamuno*, Salamanca, Universidad, 1983.

[64] *Ed. cit.*, pp. 19-20 y 54-55.
[65] *Diario, ed. cit.*, p. 26, y cf. pp. 119-120.
[66] *Id.*, p. 34.

En resumen, de esta pormenorizada comparación entre personajes y situaciones del drama con motivos y frases del *Diario íntimo* queremos concluir que la comentada afinidad entre autor y personaje, entre texto dramático y experiencia de 1897 se pueden establecer en líneas generales y también de forma concreta, detalle a detalle. El coro de amigos, por un lado, y Felipe, por otro, encarnan en escena diversas voces del sujeto Unamuno. Ángel, como personaje, y su conflicto interior como conflicto dramático no tienen su *ratio* final o justificación en sí mismos, carecen de autonomía y, por tanto, en cierta medida, de comprensibilidad. Es en el *Diario*, como texto, y, últimamente, en la persona de Unamuno donde hallamos la razón de su escisión. Como es en la idea unamuniana de la mujer-madre donde encontramos el fundamento del comportamiento de Eufemia, y no en una lógica interior del personaje o de la acción en la que se encuentra situado.

Hablamos en el apartado II de esta Introducción de una situación dramática básica que se repite en el teatro unamuniano. Pues bien, aquí parece justificado resumir esa situación dramática en una frase disyuntiva: o Dios (paz interior, vida espiritual, verdadero ser e integración plena) o sociedad (actividad, gloria, historia, fama y representación). Por qué los elementos del conflicto son excluyentes y tan contrarios no tiene respuesta dentro de la obra, sino fuera, como acabamos de decir. Sabiéndolo, nos cabe constatar el hecho de la alternativa sin solución. Se plantea, por tanto, una modalidad de la situación general, donde Ángel es un actor consciente que pretende abandonar su papel, no actuar hacia los demás. El drama consiste, pues, en la necesidad de representar un papel que, por serlo, lleva al individuo a su falseamiento. Recordemos que la primera escena de la obra presenta a los partidarios políticos de Ángel como "su público" y que están celebrando su afortunada intervención, su actuación tribunicia. Luego, juzgan frecuentemente los gestos de Ángel en la perspectiva de una actuación ("Vaya, vámonos, que el gran hombre se sale de su papel", II, IX). Así que nos cabe recoger estos elementos en un esquema:

(Gloria) Eufemia — Dios
          Eusebio | (hombre interior)
(Poder) Correligionarios → Ángel — Felipe (libertad)
         | |
    Sociedad → Público
  (hombre exterior)

La acción dramática o anécdota de la obra se desarrolla en la línea horizontal, incluso con un movimiento espacial, pues Ángel huye de su casa para encontrar en la suya a Felipe. Pero los dos determinantes de su situación son los que le crucifican sobre la línea vertical: el público y su propia tendencia al histrionismo y a la gloria, y la llamada del hombre interior, donde resuena Dios en su nostalgia. Son precisamente los que actúan en la ausencia, los que llaman desde "fuera" o desde "adentro", pero, en cualquier caso, desde más allá de la escena donde se representa la acción. Nueva dificultad para situar el drama unamuniano, ya que el conflicto entre las fuerzas visibles es sólo una especie de proyección del conflicto fundamental.

Con esta reflexión puede quedar al menos parcialmente justificado un hecho que resulta sorprendente, y es la falta de cualquier elaboración del aspecto político del drama, que sería el contrapeso adecuado para la atracción a la soledad en el nivel ideológico. Aquí es una anécdota que, sin detalles, queda reducida a mero pretexto que no sirve para explicar la situación de Ángel, sino sólo para consignarla, funcionando como un signo arbitrario. De esa manera se hace problemática la relación intrínseca de tres aspectos necesarios en esta clase de drama: la situación (momento particular de la acción completa), el carácter, dentro del tipo de personaje elegido y diseñado, las réplicas del diálogo, que corresponden a ese personaje

en tal situación. Las relaciones son a veces más bien dis-
cordantes, cuando no arbitrarias.

Lo mismo ocurre con el personaje de Eufemia, donde,
como ya hemos insinuado, es inútil tratar de encontrar referente psicológico o social alguno (lo que ya le reprochó
algún amigo). Para Unamuno, la mujer presenta ese doble
aspecto de instigadora del hombre para la gloria (deberíamos
mostrarlo mejor con el drama *Soledad*) o de profunda instancia materna acogedora y salvadora de la desinte-
gración. Tal oposición puede articularse bien en forma de
dos personajes antagónicos, pero aquí aparece en dos momentos sucesivos de modo totalizador y exclusivo.

Por todo ello cabe hablar de graves defectos de construcción dramática, desde un análisis intrínseco del texto
y de su funcionamiento. Esto es lo que, de forma sucinta,
ha hecho Donald L. Shaw y que ahora resumimos, como
final de este comentario, aunque recordando también nuestro propio análisis del apartado anterior. D. L. Shaw con-
sidera que *La Esfinge* falla porque el conflicto no se plantea
ni se desarrolla bien, porque los personajes antagonistas no
aparecen convenientemente elegidos (los partidarios políticos) o deben cumplir dos funciones opuestas (Eufemia):
"Unamuno se limita a explorar la ambivalencia interior de
su protagonista. Como consecuencia, se sacrifica el papel
de Eufemia... y las fuerzas contrastantes en el drama no se
manifiestan claramente por medio de conflictos dramáticos entre personajes." [67] Achaca el fracaso, además, a determinados errores particulares en el ritmo y en la disposición de las escenas y al recargamiento del diálogo con
elementos simbólicos que atañen a la niñez, al agua y a la
música (aspecto particular que estudia en otro artículo).

2. La Venda, *drama simbólico*

Esta acabada obra unamuniana, pese a la brevedad,
asienta su eficacia e interés sobre la peculiar integración

---

[67] Donald L. Shaw, *art. cit.*, p. 503.

de sus elementos constitutivos que son el problema humano personal de la fe, expresado como lucha entre la razón
y la voluntad, la representación dramática mediante un conflicto sensible, anecdóticamente sugestivo, y el horizonte
de interpretación mítico-religioso al que se abren la anécdota y los personajes. Pero a este resultado no llegó Unamuno sino después de algunos tanteos e indecisiones que
se recogen en lo que conocemos de la historia del texto;
así que nos detendremos, en un primer momento, en la
génesis textual de *La Venda*.

La publicación de este "drama en un acto y dos cuadros" se produce en una modesta colección —*El Libro
Popular*— el 17 de junio de 1913, aunque estaba escrita
tiempo antes, sin que se lograra el estreno (que tendrá lugar en el Teatro Español, de Madrid, en 1921). [67 bis] Nueva
manifestación de la crisis de 1897, desde el comienzo parece una versión menos directa que *La Esfinge*, no menos
íntima, pero sí menos confesional. Por ello introduce Unamuno algunas mediaciones conceptuales y literarias entre
sus emociones y el texto: figuras dialogantes en debate intelectual, informaciones sucesivas que construyen la historia de un personaje ajeno, la presencia de Marta y, sobre
todo, las referencias al marco religioso con símbolos universales que las hacen culturalmente comprensibles.

De la obra existe manuscrito autógrafo de 31 cuartillas
numeradas, con muchas enmiendas, que difiere en multitud
de detalles del texto editado y que no lleva fecha. [68] Pero,
además, se conservan en la Casa-Museo, de Salamanca, unas

[67 bis] Hubo representaciones con carácter privado antes de esa
fecha, así en el *Teatrillo* de los HH. Millares, en Canarias, el 10
de febrero de 1911. Véase *Epistolario de Unamuno-Alonso Quesada*, prólogo de Lázaro Santana. Las Palmas, ediciones del Museo
Canario, 1970, pp. 23-24. Y sobre lo mismo, Sebastián de la Nuez,
ob. cit., pp. 104-106, con reproducción fotográfica del programa
de la velada.

[68] En las notas del texto indicamos las variantes entre el manuscrito y el texto impreso. Hay que reseñar, como curiosidad, que
existe una impresión de la obra en la publicación periódica *Domingo*, núm. 139 (15 de octubre 1939), que sigue este manuscrito,
frente al resto de las ediciones. La presenta Luis de Armiñán.

hojitas donde Unamuno trazó esbozos, escenas y algunos diálogos de lo que iba a ser su obra. Puede ser que la concibiera con mayor extensión, pero siempre en dos partes que llamaba entonces actos. Esos borradores, de los que ya dio noticia don Manuel García Blanco, [69] no corresponden tampoco con exactitud a la versión dramática. En parte parecen aprovechados en un relato y en otra pequeña parte sirven para el texto dramático.

Porque, efectivamente, antes de que concluyera el drama y, posiblemente, es mi opinión actual, aunque conjetural, antes de que lo escribiera, Unamuno utilizó los materiales y las ideas, dando forma narrativa a la anécdota, y poniendo el mismo título. Este relato se publica en *Los lunes de El Imparcial* el 22 de enero de 1900. Conservamos, pues, y por orden cronológico, unas cuatro versiones: los borradores (un esquema general, un desarrollo dramático del primer cuadro, algunos diálogos sueltos), el cuento impreso, el manuscrito, el texto dramático editado. [70]

En el cuento, la anécdota se narra en tres partes diferenciadas: el encuentro, en la calle, entre un caballero, con otra gente luego, y la ciega; los antecedentes de esa situación en una analepsis por boca del narrador y, finalmente, la escena en la casa, con la muerte del padre ante los ojos de su hija. Esta ordenación de los acontecimientos se repite en el drama, ocupando el encuentro en la calle y los antecedentes el cuadro primero, y la escena en la casa del

[69] En el prólogo del *Teatro Completo*, ed. cit., p. 69. Véase nuestro art. cit. en Bibliografía.

[70] Mi conjetura apuntaba hacia 1901, incluso 1902, como fecha de la escritura final del drama *La Venda*, por las razones explicadas en mi comunicación al Congreso Internacional Unamuno (diciembre, 1986) (Actas en curso de publicación), apoyándome en esos borradores, en las noticias de M. García Blanco y en las cartas de Unamuno a Juan Barco y a Jiménez Ilundáin. Encuentro ahora una confirmación de parte de mi hipótesis (se trata de algo más complejo que una precisión de fechas) en carta de Unamuno a Leopoldo Gutiérrez Abascal de 15 de enero de 1901, donde escribe: "Tengo además otro drama en telar y mi artículo *La Venda* publicado en *El Imparcial* que voy a hacer drama." *Cartas íntimas*, ed. cit., p. 112.

padre el segundo. [71] Pero con gran diferencia a favor del drama, que "enmarca" el simbolismo de la acción con un diálogo conceptual previo entre dos personajes alegóricos (teatro de debate), don Juan y don Pedro, trasunto de los apóstoles y mantenedores de los dos polos del conflicto unamuniano entre la razón y la fe. La narración del pasado es más sucinta y la mujer se encuentra con los dos caballeros, interrumpiendo su conversación. Pero donde proyecta y culmina el drama todo su alcance simbólico es en la segunda parte, y aquí el hermano y el sacerdote del cuento son sustituidos con ventaja por la hermana de María (y el marido), duplicando las referencias a la razón (Marta) y a la fe (María) su difícil y necesario hermanamiento.

Eleanor K. Paucker [72] fue la primera que comparó ambas versiones, dando preferencia al cuento por considerarlo más intenso y dramático. Todas las adiciones del drama, según ella, diluyen la emoción, aunque reconoce que las relaciones entre María y su padre están más profundamente desarrolladas en él. Nuestro comentario —apoyado por razones que hemos expuesto en otro lugar— va en la línea opuesta y se suma, aceptándolas, a las opiniones de Iris Zavala y de Andrés Franco. Sin duda el drama es un producto literaria y conceptualmente más elaborado que el relato; es la culminación del proyecto que Unamuno parece haber tenido desde el comienzo, con su específica forma dramática. El aprovechamiento de las funciones simétricas y contrapuestas en la escenografía, la acción y los personajes confieren esa mayor sensación de acabamiento y plenitud que pertenece al texto dramático.

Es algo ya elemental decir que *La Venda* dramatiza el conflicto unamuniano entre la razón y la fe. Pero observemos más despacio que hay dos aspectos: uno es estático y muestra la oposición entre dos formas de abordar los pro-

[71] Sin embargo, lo que aparece en el cuento como organización ternaria del relato se resume en el drama en una oposición binaria, reforzando las correspondencias y funciones contrapuestas.

[72] En su artículo, "*La Venda*: Short story and Drama", *Hispania*, XXXIX, 3, 1956, pp. 309-312.

blemas últimos; el otro es de carácter dinámico y corresponde bien a los intentos de don Miguel, hacia 1897, por retornar, desesperadamente, al mundo de la fe, identificado con la infancia. La presentación estática es nocional y se recoge en un debate entre dos personajes "abstractos" (sin historia, sin vida). La tensión dinámica, el esfuerzo supremo del regreso se ve con fuerza única en María, personaje vivo, con historia personal.

Aunque el aspecto nocional y filosófico de la obra no queda suficientemente explicado en términos de razón y fe, pues éstos aparecen vinculados a otro par de semejante importancia: muerte y vida. La fe es ilusión y es vida, la razón puede ser verdad pura y es muerte. ¿Cuál es la última categoría de la existencia humana, la verdad o la vida? Don Pedro afirma: "la verdad es vida y por ello hay que vivir para servir a la verdad". Y don Juan: "la vida es verdad". Y ahí concluye. Así que lo que se plantea es un conflicto con todos sus matices y dimensiones, tanto en este debate inicial como en la acción de la obra, que trata, precisamente, de la muerte del padre y de la oposición entre la fecundidad vital de María y la sequedad estéril de la razonable Marta. [73] Ésta acepta como hecho necesario y natural la muerte del Padre, mientras María se rebela con la afirmación voluntarista de un deseo absoluto en que el amor se identifica como vida.

Para analizar el drama en sus aspectos simbólicos hay que partir, precisamente, de la vigencia y sentido propio de la anécdota. Ésta se deja leer e impresiona en función de sus valores humanos emotivos y —notamos— se articula con precisión en una secuencia de acción bien construida. Cada personaje está en su lugar y los diálogos corresponden exactamente a la situación planteada. El momento de la intimidad de María con su padre, empeñados ambos en una intensa recuperación de su vida ante la inminencia de

---

[73] "Y es que, en rigor, la razón es enemiga de la vida". *Del sentimiento trágico...* en *Obras Completas, ed. cit.,* vol. XVI, p. 217.

la muerte, vale como una escena patética que no necesita traducción a ningún plano conceptual "superior" y que nos descubre, en ella misma, profundas resonancias del autor.

Pero, indudablemente, *La Venda* se plantea como un drama con dos niveles de significado y dos modos distintos de significación, uno directo e insuficiente y otro indirecto y final. ¿Cómo se engarzan ambos lados? A base de dos procedimientos diversos, pero convergentes: la inclusión de figuras alegóricas fácilmente reconocibles por el lector (tal vez también por el espectador) y la remisión a un código simbólico-religioso basado en imágenes cristianas y en textos de la Escritura. Las primeras se relacionan con el carácter estático y nocional del problema planteado, mientras el segundo ostenta los significados profundos de las acciones.

En la alegoría encontramos figuras concretas que representan ideas abstractas, con una referencia de carácter unívoco que se agota en sí misma y puede ser más o menos enigmática, pero no problemática en sentido profundo o vital. Están codificadas por la tradición y determinados signos contextuales ayudan a realizar la traducción o interpretación correcta. Así, creo que pertenecen a esta categoría la figura de la mujer vendada como emblema alegórico de la fe y, del mismo modo, la luz y los ojos como alegoría de la razón. Y dentro de una tradición de lectura alegórica de la Biblia aparecen los nombres de los personajes, cuyos valores morales representativos se han tematizado en la parenesis tradicional: Juan y Pedro, como dos actitudes contrapuestas de la fe en Jesús (sin descartar, pero sin poner en primer plano la relación Pedro-Iglesia),[74] que Unamuno aprovecha y que duplica con la pareja Marta-María, los contrarios necesarios.

Pero aquí aparece ya un problema de interpretación, pues en el personaje María, y merced a la homonimia, se

---

[74] Para esta relación hay que añadir a las precisiones de A. Franco, *ob. cit.*, pp. 89-90, los decisivos pasajes del Evangelio de Jn., 20, 3-10 y 21.

funden dos modelos evangélicos en absoluto convergentes en su origen: María, hermana de Marta (Lc., 10, 38-42), y la esposa de José (y madre de Jesús). A la vez, en la obra ostenta dos funciones: la de filiación y la de maternidad, complementarias entre sí. Es, por tanto, una figura que rompe el esquematismo alegórico para remontarse a un nivel de complejidad significativa mayor.

Y ese nivel es el propiamente simbólico, cuyas imágenes, con su capacidad de sugestión y su apertura de significado, no desvirtúan ni agotan el contenido anecdótico del drama, sino que lo asumen en una interpretación más general, cuyo último componente es el misterio. La idea —hecha acción e imagen— de volver a la casa del padre o la fuerza dramática de la ceguera como medio de conocimiento irradian un poder apelativo siempre renovado para el hombre que revive la experiencia de la lectura del texto. Pero para captarlo y sentirlo es necesario regresar siempre al texto. Sólo desde él se abre el nivel del simbolismo.

Y esta apertura se produce, a nuestro juicio, por unas alusiones bíblicas que enmarcan o sitúan la dirección de los símbolos, por unos símbolos personales —el Padre, María y su ceguera, el niño— y por otros correlativos de acción y de espacio: el retorno y la casa del Padre.

Los dos textos bíblicos se refieren al misterio y a la imposibilidad de conocer directamente a la divinidad, por una prohibición de esa misma divinidad o por la condición humana como tal. En *Éxodo* aparece la relación ver a Dios = morir que menciona don Juan: "tal vez nos sucede con la verdad lo que, según las Sagradas Letras, nos sucede con Dios, y es que quien le ve se muere". Entonces don Pedro alaba la muerte por haber visto la verdad, mientras don Juan sigue manteniendo que es la fe la que nos da la vida y nos da a Dios. Y en el cuadro segundo, el Padre expresa su deseo de encontrarse con María en estos términos: "Pues yo quiero que venga, que venga en seguida, en seguida, que la vea yo, que me vea ella y que la vea como me ve..." Resuena aquí, sin duda, el texto de San Pablo en 1 Cor., 13, 12: "Porque ahora vemos por medio de espejo, en enigma;

mas entonces cara a cara. Ahora conozco parcialmente, entonces conoceré plenamente, al modo como yo mismo fui conocido." [75]

El nexo común de ambas referencias es la posibilidad de conocer el misterio divino por parte del hombre. La primera la niega, para esta vida, y la segunda la afirma como contenido fundamental de un "más allá" o de otro tiempo, un "entonces" escatológico. La proposición de don Juan se refiere directamente a la verdad y defiende el no ver porque ahí está la vida. ¿Y qué es la verdad? Posiblemente la verdad racional y, en este contexto, la ausencia de Dios. De esta manera, la conexión sintáctica, en la frase, y la conexión anecdótica, en la acción, quedan firmemente establecidas: no se puede ver el rostro de Dios, pero no porque el hombre muera, sino porque es Dios mismo (la fe en él) quien muere en nosotros y la verdad entonces se manifiesta como vacío y muerte (ya también para el hombre sin Dios). El segundo texto confirma o refuerza esta idea, al ofrecer primero el deseo del Padre y mostrar luego el resultado; pero es que, en realidad, ese conocimiento último, cara a cara, se expresa en San Pablo como un desvelamiento del misterio que no pertenece a esta vida, sino a la realización escatológica y a la revelación última. Pretender ver aquí al Padre sólo conduce al descubrimiento de su muerte. Ambos textos, pues, vienen a afirmar la misma limitación constitutiva para la existencia humana: vivi-

---

[75] La idea aparece con gran claridad en *Ex.*, 33, 30 (y 19,7-25); implícita en otros textos, como el de la vocación de Isaías, cf. Is., 6,5. No vemos tan próximo a este comentario el texto de la muerte de Moisés, Deut., 31. Una glosa patética del mismo texto en el "Salmo I" del volumen *Poesías*, fechado en 1906 y que contiene otra alusión posible al texto de San Pablo. Puede verse el desarrollo de esta preocupación unamuniana en M.ª del Pilar Palomo, "*La Venda*: forma dramática primera de un tema unamuniano". *El teatro en Miguel de Unamuno*, San Sebastián, Universidad de Deusto, 1987. (*Mundáiz. Cuadernos Universitarios*, 4.) Ella se basa en otro texto de San Pablo: 2 Cor. 3, 18 (y lo refiere a otro pasaje de la obra) con muy importantes razones.

mos en un enigma fundamental (texto 2), cuya respuesta nos es negada (texto 1). [76]

Justamente el que en *La Venda* muestra el modo único de "ver" al Padre es el niño de María. Estamos ante otro símbolo de la fe que vincula ésta al inconsciente y al sueño. El niño ha visto y ahora duerme confiado en los brazos; y dice explícitamente el texto: "No se debe despertar a los niños cuando duermen. Ahora está en el cielo. Está mejor dormido." Al morir el Padre, el niño despierta y comienza a llorar. Es este hijo de María, pues, un símbolo personal, sin que sea absolutamente necesario identificarlo alegóricamente con Jesucristo, tal como hace Andrés Franco en la interpretación de esta pieza, prolongando su sentido con algo que no aparece en ella, aunque tal vez sea correcto según el pensamiento unamuniano.

La segunda figura simbólica es María con su ceguera y, por ella, abierta a lo invisible, a la realidad que se percibe necesariamente sin los sentidos corporales. La fuente de la vida yace en la oscuridad y en ella se conoce y el espíritu reposa. Porque, por otra parte, María se nos presenta en dos momentos bien diferenciados, el de la agitación, con su movimiento rápido, y el del reposo, la calma y la serenidad. Podemos poner en relación la réplica de María: "Te conozco muy bien, padre...", etc., con algunos textos de *Poesías* (1907), donde se recoge la experiencia profunda de la calma en relación con la oscuridad y la fe: "Al sueño", "Canta la noche" y "No busques luz, mi corazón, sino agua". Este aspecto aún quedaba más explícitamente afirmado en el cuento, pues el sacerdote daba la versión canónica de un Dios de luz, al cual accede el hombre por la muerte, mientras María afirmaba la vida y, en consecuencia, la oscuridad: "¡Padre, padre! Ya está en las tinieblas...,

---

[76] La familiaridad de Unamuno con la Biblia y el simbolismo religioso de esta obra nos inducen a ver deliberación en la coincidencia de algunas réplicas con frases del Nuevo Testamento. Las indicamos en las correspondientes notas del texto.

en el seno de la misericordia...", y añade después: "Os he dicho ya que mi razón está en las tinieblas..." [77]

La última de las figuras simbólicas es la del Padre, fundamental en el cristianismo, el dador de la vida y al que María conoce mediante una entrega confiada, por la fe y el amor que se hacen equivalentes en la obra. Ante la insistencia de todos para que abandone la venda, ella se resiste, afirmando que *conoce* al Padre. Como Jesús, cuando anuncia en el Evangelio: "Nadie conoce al Padre sino el Hijo." Ésta es la relación fundamental de filiación que aquí se reproduce. Y la mención de la infancia de María en su conversación con el padre tiene, como siempre en Unamuno, mucho más valor y sentido que una referencia sentimental, pues a la infancia le pertenece naturalmente la experiencia de la fe, a la filiación le corresponde la ceguera, como a la maternidad parece corresponderle la visión, es decir, la multiplicación del ser en otro, imagen de sí mismo y prolongación de la vida. [78]

Ahora bien, todas estas imágenes simbólicas, cuyo significado se puede explicar, pero no definir adecuadamente de modo conceptual, cobran este valor en un proceso, en una acción que es también de carácter simbólico y que establece entre todas ellas los lazos adecuados. Esta acción es la que denominamos el *retorno* y constituye, a la vez, la esencia de la *articulación dramática* (conflicto) y de la *interpretación simbólica*. María vuelve a la casa del Padre, [79] ahora de manera distinta a otras veces, ya que tiene vista,

---

[77] Puede verse el texto en *Teatro Completo, ed. cit.,* pp. 1033.

[78] La figura del Padre cobra dimensión y profundidad notables en el texto dramático, frente al esquematismo del moribundo casi inerte del cuento. Y merece la pena señalar que la unión entre la imagen cristiana del Padre divino y la sentencia de muerte del Dios veterotestamentario sobre quien osa acercarse a su trascendente misterio, es original, a lo que parece, de Unamuno. Supone una novedad terrible, expresión de una desolación hecha mensaje literario. En el *Diario* insiste bastante Unamuno en la paternidad amorosa de Dios.

[79] Esta *vuelta* a la casa del Padre podría relacionarse con el texto del Evangelio de Jn., 14, 1-4.

aunque le sea un estorbo. Y la casa del Padre parece, a su vez, otro símbolo tomado del evangelio según San Juan. La pregunta que cabe hacerse es, sin embargo, si ese retorno será posible o, dicho de otra manera, qué hay al fin de ese camino que ya no es el de la fe.

Como hemos insinuado, al interior de la casa corresponde antes el exterior de la ciudad y a la calma del afecto la dificultad del camino en el laberinto urbano (desorientación). Y la necesidad de vendarse los ojos hace de ese camino de regreso un equivalente del tema mítico del viaje nocturno, descrito por C. G. Jung, que lleva a una recuperación, a un renacimiento que será imposible. Pues la cuestión decisiva ahora será si cabe vuelta atrás, si una vez que el personaje ha visto tiene que experimentar necesariamente la muerte de Dios ante los propios ojos. Esta experiencia personal del autor se proyecta, en la obra, en las *dos* imágenes personales vinculadas: en la del Padre agonizante y en la hija anhelante y angustiada.

La obra concluye con unas réplicas de muerte y, a la vez, de esperanza, de desesperación ante el Padre muerto y de respuesta ante el hijo que vive; en resumen, con María pidiendo la venda. En realidad, en esta representación simbólica del drama de una conciencia, las dos partes quedan abiertas: la discusión del cuadro primero no tiene una solución apodíctica, y don Pedro y don Juan salen de escena dejando inconcluso el debate; la experiencia de María une la recuperación de la vista y la muerte del Padre. ¿Para qué su petición de la venda? ¿Cabe la ceguera ficticia? Pero queda el hijo.

No podemos abandonar el comentario de *La Venda* sin mencionar algunos aspectos complementarios que ponen de manifiesto preocupaciones o peculiaridades unamunianas y relacionan, con ello, este drama con el resto de su producción literaria. Así ocurre, por ejemplo, con la presencia del espejo y la duplicación de la imagen propia que adquiere aquí una dimensión muy profunda. Se habla de él cuando María recupera la vista; es lo primero que pide, pero lo sustituye inmediatamente por el espejo en carne o imagen viva que es su hijo. Él puede ver al Padre y ella, sin embargo, no lo ha visto. Y los ojos ciegos de María eran, a su vez, el espejo donde se reflejaba la divinidad, ojos sin la luz que ahora tienen (y que iluminará el rostro muerto del Padre). Sucesión de imágenes especulares que enlaza con los motivos bíblicos y los símbolos principales a través del texto ya aludido de San Pablo, que ahora vemos "como en un espejo". La imagen paulina se convierte así en la expresión adecuada de la vida humana y la obra viene a mostrar "nuestra" imposibilidad de acceder a la persona del Padre.

Otra recurrencia, que se hará muy característica de otros dramas en el futuro, es la presencia de dos mujeres rivales, cuya diferencia esencial radica en que una de ellas es fecunda mientras la otra es estéril. En este caso, tal cualidad hace referencia a la fe y a la razón y a dos modos humanos de comportamiento, el contemplativo y el activo. Ya comentamos la doble referencia evangélica sobre la que está fundada la figura de María: la fe contemplativa y amorosa (filiación) toma su razón del Evangelio de Lc., 10, 38-42; la maternidad, de la madre de Jesús, a quien pertenece en el Evangelio esa cualidad de forma perfecta.

También acierta Unamuno en el trazo y colocación en escena de algunos personajes secundarios, cuya función auxiliar queda resaltada por el habla viva, por el genio fácil y espontáneo frente a los protagonistas reflexivos. La señora Eugenia ofrece la visión anecdótica y en apariencia trivial de los hechos, y por ello le corresponde un lenguaje intrascendente, mostrenco y lleno de insignificantes exclamaciones. Finalmente, aunque resulte sólo pintoresco, no deja de haber alusiones irónicas o despectivas a la ciencia, y a los médicos en particular, motivo reiterado en las tres obras que reunimos en esta edición. [80]

---

[80] En el manuscrito de la colección Sedó, la palabra *médico* aparece corregida, y sobrepuesta: *sabio*. Tal vez baste recordar esta frase de Unamuno como comentario: "Estoy harto de que me llamen sabio, que es palabra fea" (Carta IV a Jiménez Ilundáin, en Hernán Benítez, *ob. cit.,* p. 297).

También ahora, aunque brevemente, tratamos de extraer de la acción de *La Venda* ese esquema que consideramos la situación dramática elemental. Claro que la verdadera gracia de la creación unamuniana está en la variación, en la diferencia; pero su coherencia y su fuerza, finalmente, se apoyan en esa identidad oculta. Para alcanzar el modo específico de expresión de tal esquema en esta obra, creo que debemos verla en su conjunto, estableciendo en una escala imaginaria los distintos momentos de la representación, simultáneamente. Así proponemos este cuadro:

De esta manera se muestra una escala de alejamiento que determina miradas cada vez menos "implicadas", hasta alcanzar, fuera del sistema de la obra, a los verdaderos espectadores, quienes son los únicos en ver todo. El personaje central aparece dramáticamente duplicado y cuya necesaria correspondencia se manifiesta en la misma onomástica. Y la situación fundamental, presentada en el Cuadro I y mostrada en el II, es la referencia constitutiva del ser humano a Dios, precisamente como Padre, es decir, como autor y totalidad de sentido. Referencia que es problemática y conflictiva. Y si reducimos aún el simbolismo, nos encontramos por último, y más claramente, las insolubles dualidades unamunianas de esta época, siempre engarzadas: escisión del yo humano, oposición niñez-adultez, enfrentamiento fe y razón, comprensión e incomprensión de la vida propia expuesta ante los demás, tensión entre yo y el otro, etc.

3.   Fedra, *una tragedia cristiana*

Con las dos obras ya presentadas termina Unamuno una primera época de creación dramática, que se concentra temporalmente entre 1898 y 1902, período inicial con arranque en la crisis de 1897, de donde toma el tema esencial y, más aún, el modo de comprensión de la vida como representación que le lleva a la escritura teatral. Un paréntesis de silencio se abre entonces, para desembocar, a finales de 1909, en un nuevo proceso de escritura sobre bases nuevas. Digamos que se advierte una voluntad de objetividad y distanciamiento entre el mundo dramático, con sus personajes, y la persona del autor. Ahí se inscribe la composición de dos obras de carácter cómico, casi bufo, y breve extensión, los "sainetes" *La Princesa doña Lambra* y *La Difunta,* seguidos por dos obras de mayor empeño, *El pasado que vuelve* (1910) [81] y *Fedra* (1910-1911). Culmina con esta tragedia la que podemos denominar segunda etapa dramática de Unamuno, a la que de nuevo sigue otro paréntesis. Y es sin duda *Fedra* la obra de mayor interés literario de este conjunto, tanto por el proceso de adaptación de una fábula tan conocida como por la complejidad del texto y el interés posterior que ha suscitado.

Su composición se puede situar entre abril de 1910 y comienzos de 1911, por las noticias que nos ha dado M. García Blanco. En la primera de esas fechas escribe Unamuno que ha leído a Eurípides y que piensa escribir una Fedra moderna. Añade: "Voy a leer a Racine. Es un asunto in-

---

[81] No hay que descartar que hubiera una primera versión en esa fecha y una segunda, no sabemos hasta qué punto renovada profundamente o sólo retocada, algunos años más tarde, hacia 1916-1917. La sospecha surge de la carta de Unamuno a F. Cossío en 1921, cit. por M. García Blanco en *Teatro Completo,* p. 79.

agotable. Sobre todo, la terrible némesis del amor que busca a quien no le busca a él..." [82] Dado que, efectivamente, hay aspectos racinianos en su versión, hemos de suponer que aún tardó algún tiempo en ponerse a escribir, pero la idea esencial de un amor llamando en el vacío ya está ahí. A fines de 1911 está ofreciendo la obra a Fernando Díaz de Mendoza para su mujer, María Guerrero. Tal vez no la hubiera tenido enteramente dispuesta antes, pues a partir de entonces menudean las ofertas y los envíos. Da la impresión de tratarse de una obra recién hecha.

El intento de representación no se logrará, sin embargo, hasta 1918, cuando se produce el estreno en una sesión privada en el Ateneo de Madrid, para la cual escribe Unamuno las cuartillas que se han hecho famosas como compendio de su estética dramática. Dudo si todo cuanto dice allí se puede extender justificadamente a los demás períodos del autor, pero, desde luego, sus ideas no son una pura revisión *a posteriori* de lo hecho y una justificación teórica para un público que resultaría presuntamente desconcertado. Habían sido ya expuestas, sustancial y suficientemente, en artículos para la prensa y cartas privadas entre 1912 y 1913. [83] Ahí aparece ya el desnudo frente al desvestido, la reducción en el número de personajes, la supresión de escenas complementarias, decorado y vestuario, es decir, la idea del drama medular que es *Fedra*. Por tanto, la madurez de Unamuno, en su particular concepción del arte dramático, se produce, a la vez, con la escritura de una obra peculiar y con una reflexión teórica que la sustenta y la justifica. Creo que ambos elementos son correlativos y simultáneos.

Por otra parte, Unamuno manifiesta un entusiasmo notable ante su propia criatura. No duda en alabarla más que

---

[82] Carta a Francisco Antón, *apud* M. García Blanco, *Teatro Completo*, ed. cit., p. 82.

[83] Se trata de una carta de Unamuno a Ernesto A. Guzmán, en García Blanco, *Teatro Completo, ed. cit.*, p. 87 y de los artículos "Las señoras y el teatro", "De vuelta del teatro. (Impresiones del espectáculo)" e "Impresiones de teatro". (Véase nota 2.)

a otras o con mayor seguridad: "El argumento es, como usted ve, tremendo y estoy muy contento de cómo lo he desenvuelto; mucho más contento que de los dramas que le remití... He querido —lo afirmo— hacer una obra de pasión, de que nuestro teatro contemporáneo anda tan escaso." [84] Varias veces más volverá sobre este concepto del apasionamiento, poniéndolo en contraste con el ingenio *apatético* de Benavente. Estamos, pues, enfrentados a un caso particular del sentimiento trágico de la vida, a un modo —el amoroso— de sufrir la insondable disociación del ser que busca reconciliarse sin encontrarse. Estamos ante una comprensión de la existencia por vía del sentimiento absoluto (pasión de Fedra).

Ya Andrés Franco trató de poner la tragedia a la luz de las reflexiones de su autor acerca del amor, en *Del sentimiento...*, [85] a saber, la necesidad de eternizarse, universalizarse y completarse; he ahí el motor que lleva a amar, "a ser los otros sin dejar de ser él, a ensanchar sus linderos al infinito, pero sin romperlos". [86] Pero amor y conciencia y sufrimiento van necesariamente juntos y cuando se dan como una conciencia que ama al todo estamos ante el ser que llamamos Dios: "porque sufre exige nuestro amor y porque sufrimos nos da el suyo y cubre nuestra congoja con la congoja eterna e infinita". [87] De ahí concluye que, aunque Fedra no puede realizar físicamente su amor, adquiere la categoría de persona: "Fedra ama y sufre, y por eso es un ser auténtico." [88]

En un plano algo más abstracto, Fernández Turienzo nos ofrece una descripción del "tragicismo" unamuniano que sirve para ilustrar bien los presupuestos de las obras que

---

[84] Carta a Díaz de Mendoza de 6 de noviembre de 1911, según M. García Blanco, *Teatro Completo, ed. cit.*, p. 84.

[85] También Iris M. Zavala lo menciona, a propósito del comentario de A. Valbuena Prat en su *Historia del Teatro Español*, Barcelona, Noguer, 1956, p. 592. Véase *ob. cit.*, pp. 52-53.

[86] *Del sentimiento trágico...*, en *Obras Completas, ed. cit.*, vol. XVI, p. 334.

[87] *Id.*, p. 330.

[88] A. Franco, *ob. cit.*, p. 155.

comentamos. Y, en concreto, para ésta. Véase el siguiente párrafo, que aplicamos a nuestro intento con los comentarios entre paréntesis:

La realidad del hombre consiste para él en un *esfuerzo*, no en un *logro*, es más, no puede haber para Unamuno nada *hecho*, nada *esencial* ni definitivo. La vida no es otra cosa que sueño, apariencia y engaño [*La Esfinge, Soledad,* etc.] o bien esfuerzo desesperado, que está esencialmente amenazado de cesación (muerte) [*Fedra*]... *Siempre* como anhelo, *nunca* como logro; he ahí la tragedia. [89]

Podemos recordar a este efecto el comentario que hace Unamuno del concepo espinoziano de *conatus*. Y concluye Turienzo que de esa tensión suya personal saca el autor sus personajes, que no son primariamente trágicos por estar condenados por instancia supramundana (ausencia de Dios) ni por un destino ni siquiera por su lucha contra sí mismos; sino, sobre todo, porque no llegan a ser "ni cristalizan en una realidad lograda".

Tendremos que discurrir y comentar, más adelante, la cuestión del Dios trágico en *Fedra*, en relación con su "cristianismo". Con esta salvedad, el resto de las ideas parece interesante en orden a entender esta tragedia. Aunque todavía podemos ofrecer otra sugerencia, también basada en *Del sentimiento trágico de la vida...*, que abre una vía de comprensión de los enfrentamientos que ocurren en la obra. Se trata de entenderla como un caso paradigmático de surgimiento de lo vital impulsivo en el seno de la racionalidad que resulta destrucción de su orden, según aquello de que "todo lo vital es antirracional, no sólo irracional..." [90] Planteado así, hay ya un comienzo de enfrentamiento dramático, con una fuerza que amenaza —por su carácter absoluto y negador de límites— el sistema de convivencia y conveniencia establecido. Esa fuerza, que da

[89] F. Fernández Turienzo, *ob. cit.,* p. 180.
[90] *Del sentimiento trágico...*, en *Obras Completas, ed. cit.,* vol. XVI, p. 161.

energía especial y hondura al personaje de Fedra, es la *pasión* que sólo se conoce por su experiencia y que Unamuno no quiere definir, sino vivir, [91] dejando constancia de que la pasión no tiene propiamente objeto, se lo crea.

Así es posible también justificar, desde una doble perspectiva, el desequilibrio que encontramos entre Fedra y los demás personajes de la tragedia, considerados borrosos e insuficientes por la crítica. Es que la "vitalidad" está concentrada en la mujer, ella es el impulso, "lo vital que se afirma", y los otros sólo representan, de modo elemental, el otro lado de la humanidad, su racionalidad convencional [92] (aunque al mismo tiempo necesaria). Si la pasión crea su objeto, no importa entonces tanto sobre qué se dirija realmente, sino qué hace con la persona que la padece. De nuevo, no es tan importante por qué Fedra se enamora de Hipólito, ya que éste es casi un mero pretexto para que aparezca su pasión y se desencadene el conflicto, conflicto que, como indicamos en general, y mostraremos más adelante, es trascendente, desborda el marco "familiar" y "legal" en el que surge. Dicho esto, podemos discutir si esa forma dramática resulta eficaz o si la carencia de entidad dramática en el personaje de Hipólito lastra en exceso el conjunto. Podemos también aceptar algunas de las afirmaciones de D. L. Shaw sobre los defectos técnicos en la construcción del drama, aunque nuestra consideración sobre la ausencia de Fedra en el acto III sea muy distinta de la suya. En un aspecto general se puede convenir, porque es casi la consecuencia de la descripción anterior, que

---

[91] *Id.*, p. 415.

[92] "No hay aquí lugar para el pasteleo. Tal vez una razón degenerada y cobarde llegase a proponer tal fórmula de arreglo, porque en rigor la razón vive de fórmulas; pero la vida, que es informulable; la vida, que vive y quiere vivir siempre, no acepta fórmulas. Su única fórmula es: o todo o nada. El sentimiento no transige con términos medios." *Id.*, p. 235. Creo que se puede añadir, aunque no entramos en su discusión, que esta obra unamuniana apunta a una conciencia de la condición trágica de lo femenino: "Es una fatalidad haber nacido mujer", dice Eustaquia en el acto I, escena 1.ª.

Unamuno tiende a transformar a sus personajes centrales
de *antagonistas* en *agonistas*.

La comparación entre la tragedia de Unamuno y sus
modelos ha sido ya establecida y analizada anteriormente. [93]
Incluso se ha comentado cómo la versión unamuniana, en
la que Fedra declara directamente su amor a Hipólito, corresponde a una primera versión perdida de Eurípides y tiene semejanza con la inflexión de Séneca. Por tanto, parece
innecesario repetir aquí un desarrollo descriptivo de las
semejanzas y diferencias. Lo que cabe hacer es señalar en
qué consiste, para nosotros, la novedad de *Fedra* en el
proceso de creación dramática de Unamuno y luego fijar
algunos puntos particulares de interés para tratar de comprender qué hizo Unamuno con el mito. Y, antes de nada,
hay que recordar que no *imitó*, en el sentido tradicional,
sino que *recreó* el tema, tomó el mito y lo escribió a su
modo, tal como afirmaba: "Del drama de Eurípides y de
Racine no tiene nada más que el argumento escueto. Todo
el desarrollo es distinto." [94]

La opinión que sostenemos ahora es que *Fedra* afirma
una etapa de madurez (intelectual y literaria en general,
dramática en particular) que se percibe en el casi exclusivo interés estético y formal con que procede. *La Esfinge*,
por ejemplo, tenía su razón de ser fuera de ella misma...
Fedra, no. Su inmanencia es perfecta, lo que no excluye
que la adaptación incorpore los problemas, puntos de vista y tensiones del autor, en especial su particular cristia-

[93] Sumariamente por Iris M. Zavala y más detalladamente por
A. Franco, *ob. cit.*, pp. 140-151 y por Carlos Feal Deibe, *Unamuno: El otro. Don Juan*, Madrid, Cupsa, 1976, pp. 208-213. Acerca
del personaje hay otros estudios, de los cuales son los más recien-
tes: J. I. Ciruelo, "Unamuno frente a los personajes de Medea y
Fedra" en *Tradición clásica y siglo XX*, ed. I. Rodríguez Alfageme y A. Bravo García. Madrid, Coloquio, 1986, pp. 56-66. M.ª Dolores de Asís, "Recreación del mito de Fedra en la *Fedra* de Unamuno", en *Volumen Homenaje, ed. cit.*, pp. 341-362.

[94] Carta de Unamuno en *Teatro Completo, ed. cit.*, p. 84.

nismo. [95] Desglosando algunos aspectos, ese rasgo de la madurez y autonomía literaria y dramática de *Fedra* se puede concretar en los siguientes puntos:

1. Recoge un mito clásico, reelaborado varias veces; así se introduce en una secuencia literaria de la que el autor es perfectamente consciente y de la cual selecciona voluntariamente sus modelos y lo que de ellos quiere aprovechar.

2. La forma literaria habitual del mito era la dramática; y, por tanto, el autor no sólo parte de un tema clásico y transcultural, sino de una forma genérica (personajes, conflictos, resortes, desenlaces) previamente establecidos.

3. Durante su composición presta especial atención a los aspectos estéticos y formales del drama. (Véanse las cartas citadas por García Blanco.)

4. Según lo dicho antes, elabora una teoría dramática desde esta obra, una metadramática que justifica la elección u olvido de determinados recursos y elementos tradicionales en relación con una "poética".

Todo ello produce en el lector una impresión dominante de que *Fedra* es un texto dramático donde Unamuno ha puesto su mayor voluntad de logro estético, se ha jugado su concepción misma del teatro, una vez aprendido lo que quería hacer tras los anteriores experimentos.

De las múltiples posibilidades de análisis que se nos ofrecen seleccionamos algunos puntos que pueden poner de manifiesto esta coherencia de la creación y del texto. En primer lugar, el hecho de la "particularización" de los personajes y el correlativo cambio de nombre en alguno. Unamuno prescinde de la ambientación mítica y palaciega, de la estirpe propia de los personajes, tan presente, por ejemplo, en Eurípides y, de forma distinta, en Racine. Evi-

---

[95] "Es el eterno Unamuno quien lucha tras las palabras." Iris M. Zavala, *ob. cit.*, p. 61. Y véase el *art.* de Melchor Fernández Almagro citado en nota 11.

ta también toda intriga secundaria. Al quitar este revesti-
miento reduce la tragedia a un aspecto común de la condición humana, trata de poner de relieve que la esencia
de lo trágico está en la *pasión,* según la describimos antes.
En el mismo sentido actúa la onomástica. Fedra e Hipólito
mantienen sus nombres como referencia al mito y a su historia literaria, pero los demás cambian a otros muy habi-
tuales: Pedro (no Teseo), Rosa, Marcelo y Eustaquia. Es
otra forma de la desnudez o esencialidad poética de la tragedia. Si no hay palacio, ni estirpe divina, ni trajes, tampoco hay nombres de héroes, sino de personas comunes.
Lo de "personajes de hoy en día" no creo que pueda aludir
sólo a una modernidad cronológica o a una condición bur-
guesa, que sería de nuevo anecdótica y puramente exterior,
sino a la ruptura con la tradicionalidad heroica para buscar un paradigma humano común, es decir, de identificación
interior.

Otro de los aspectos que Unamuno discute en el texto
teórico, y que salta a la vista en la tragedia, por su importancia en la estrategia de la acción, es la posición de la
muerte de Fedra y el modo en que ocurre. Recordemos las
soluciones de Eurípides y de Racine. En la tragedia griega
hay una disposición simétrica, digámoslo así, cuyo eje es
la muerte de Fedra. Antes está su amor, que la nodriza
revela a Hipólito; luego, la carta acusatoria al hijastro
y la cólera de Teseo, con la muerte de la víctima trágica
que es Hipólito. Fedra muere de forma rápida, fuera de la
vista del espectador y de los demás personajes. Racine
cambia el acento, hace pesar más la acción sobre la mujer
y por ello cambia el momento crucial al final de la tragedia. Fedra contempla los estragos de su pasión: suicidio de
Enone, muerte de Hipólito, desesperación de Teseo... y es
ella misma quien descubre al esposo la verdad del recto
comportamiento de su hijo y la "llama funesta" que ardía
en su seno de mujer. Se mata con un veneno, que había
tomado antes, muriendo de forma rápida.

Unamuno se separa de ambos, pero tomando elementos
de ellos. La causa de la muerte de Fedra será un veneno
y ocurrirá fuera de la escena. Lo que resulta totalmente

nuevo es el tratamiento dramático, porque su agonía dura todo el acto tercero y habla con los demás personajes, quienes reflejan, ante el público, sus emociones. Ese lento acercarse hacia la muerte crea un especial clima de tensión y traslada el centro de interés "fuera" del escenario, a la habitación cerrada donde el espectador no puede entrar. Más que la muerte, es el morir de Fedra lo que se dramatiza, un morir en ausencia, sin explicaciones, que sólo se lograrán tras el fallecimiento, en la ausencia definitiva que es, al mismo tiempo, su más *pura* forma de presencia:

> Y ahora, ante la muerte, podré decir la verdad, toda la verdad a Pedro. Y ellos, padre e hijo, vivirán en paz y sin mí, sobre mi muerte (III, escena 1).

Al analizar así este acto podemos advertir que toda la obra ha jugado con ese recurso dramático fundamental que es la tensión entre un "dentro" y un "fuera" del escenario, que se eleva a un grado absoluto con ese final. Unamuno no aleja a Pedro (Teseo) con un viaje y aún más ajeno parece de usar los recursos de Racine, como el rumor de la muerte y la intriga política. Pedro está continuamente en la casa, aunque ciego ante lo que ocurre, por lo que es, incluso, inconsciente promotor de la desgracia. Es la ausencia de Hipólito la que primero se marca en la obra como falta ominosa y castigo sobre padre y madrastra. Y cuando Hipólito regresa es porque Fedra está ausente. Ese juego de la presencia (necesidad) y de la ausencia (privación y castigo) muestra, a lo largo de la pieza, la imposibilidad del amor: la presencia de Hipólito es para Fedra insufrible por el amor que provoca; pero la ausencia le es insoportable igualmente por la culpa, el sufrimiento y el vacío.

La nueva entrada de Hipólito en escena deja, sin embargo, todavía fuera el centro de gravedad del último acto. Ahora la acción fundamental es ese morir de Fedra. Y así también la escena esencial va a ocurrir *fuera* y *en silencio*. Ausencia de los personajes, ausencia de la palabra. En el primer acto fue la confesión, en el segundo la acusación, en el tercero será la reconciliación. Pero el autor trata de lograr el máximo de emoción con el mínimo de elementos, es decir, con su ocultamiento.

Y para valorar este aspecto adecuadamente, así como la concentración de elementos y su coherencia, puede ser útil que nos fijemos en un detalle relevante de la relación de los personajes: el beso. Ya en I, 1 se menciona y describe apasionadamente el efecto que provoca en Fedra ese contacto íntimo con Hipólito. En la escena 3, la joven besa a su hijastro de manera intensa; el espectador sabe ya por qué y qué está sintiendo, aunque no los otros personajes masculinos. La importancia de ese beso será puesta de relieve en la escena siguiente, con el diálogo de Fedra e Hipólito. En el acto II (escena 3), Fedra insiste: "que muero de la sed de tus besos, que esto es el suplicio de Tántalo... ¿Por qué no me besas como antes, Hipólito?" Este, naturalmente, se niega y ella le amenaza con la acusación calumniosa. Y aún Pedro rechaza a Hipólito y no permite que le dé un beso de despedida (II, 6) y luego pregunta a su mujer: "¿Y tú consentías que te besara?" Finalmente, en el acto III (escena 1) el beso vuelve a aparecer como elemento principal de contacto, primero en el deseo de Fedra, luego como realidad supuesta y anunciada por Eustaquia con las mismas palabras de su ama y, finalmente, con la negación del que pedía Pedro.

Así que esta forma de comunicación íntima se nos muestra como otro elemento crucial en la estrategia del drama y aparece en todas las formas: como realidad, como negación, como realidad consumadora en la ausencia. Entra en el dinamismo del juego presencia/ausencia y tiene su última manifestación en el silencio. El cual es también importante porque la ausencia de palabra enuncia, de hecho, lo que ella no se atreve a proferir: la declaración de Fedra a Hipólito, la acusación ante Pedro, la reconciliación... Se calla lo esencial. También Hipólito enmudece ante las preguntas del padre y, finalmente, hay silencio respecto de la causa de la muerte de Fedra, se da por entendida, excepto un momento en que se mencionan las pastillas. Así que lo no dicho pesa, con su especial modo, sobre lo dicho y sobre la acción misma de la obra.

Silencio es muerte y es ausencia. [96] De este modo, esta reflexión viene a completar la que anteriormente hicimos sobre la corporalidad como lugar donde acontece dramáticamente *Fedra*. Podemos añadir ahora que el cuerpo y la palabra, en su complementariedad recíproca y esencialmente dramática, son los ejes esenciales. Y se hurta el cuerpo mediante el juego del dentro/fuera y se hurta la palabra mediante el implícito y la reticencia, se pone en juego la persona mediante el contacto físico y su demanda, se descubre u oculta la pasión mediante la confesión y explicación verbal. El beso y la palabra que brotan de la misma boca.

Dos cuestiones enlazadas quedan por exponer y dilucidar. La primera se refiere a la realización, en *Fedra,* de esa situación básica a la que reducíamos todo el teatro unamuniano. La segunda, al carácter "cristiano" que otorgaba Unamuno a esta pieza.

Parece, a primera vista, que aquel conflicto central de la teatralidad de la existencia humana ha sido ya sustituido en *Fedra*, en virtud del tema mítico que adopta. El nuevo conflicto sería entonces el ya anunciado de la locura o enajenación del amor. Fedra, por su pasión, está fuera de sí, en el objeto que se ha buscado; y como no es correspondida, queda alienada, escindida. Esa dualidad del personaje tiene una expresión dramática en la pareja nodriza-ama y, correlativamente, en el doble objeto amoroso masculino: el abandonado, Pedro, y el deseado, Hipólito. Así que, de acuerdo con los comentarios anteriores acerca de la interpretación filosófica de esta tragedia, estaríamos ante un estudio dramático de la personalidad.

Y esto es posiblemente cierto. Pero, en transparencia, se puede adivinar y describir otro modo de hacerse presente

---

[96] Silencioso es también el escenario y el universo físico de la obra, donde lo que se advierte es la ausencia total de otros signos que no estén soportados por la figura del actor (con excepción de esas "concesiones" de mesas y sillones que dependen de la estética de un naturalismo desfasado). El blanco es el color del vacío. Así, el personaje de esta tragedia queda remitido al mundo o ámbito creado en el vacío —por su propia palabra.

el mismo conflicto de los dramas anteriores. Y precisamente porque Fedra es cristiana y como tal aparece constituida. El núcleo del conflicto de la teatralidad residía en un personaje (o dos complementarios) escindido entre una realidad (interior) y una apariencia (exterior), entre la contemplación y la acción, la fe y la razón. Pues *Fedra* muestra una dimensión personal-ontológica y religiosa de ese conflicto que puede describirse como la lucha entre la *carne* y el *espíritu*. [97] Lo que caracteriza al personaje Fedra no es sólo el movimiento de su pasión, sino, ya desde Eurípides, la marcada tensión con que vive esa "llama funesta" y su contradicción. Unamuno explota aquí esa posibilidad de la tragedia griega desde la lectura de San Pablo, desarrollando, como decía D. L. Shaw, el "agonismo" de la protagonista.

Puestas así las cosas, en esta dimensión existencial y ontológica, el drama de Fedra se puede simplificar en una fórmula paralela a la que empleamos en *La Esfinge*: o Dios o su amor. Y con esta tensión el personaje quedará frustrado, como lo anunciaba la concepción trágica unamuniana (véase nota 89 y su texto correspondiente). También Fedra, como Ángel, busca al final, desesperadamente, asentarse en uno de los extremos, el divino, que ella identifica con la paz y el sosiego, unidos a la confesión de su verdad. (Véase el comienzo del acto III, posición de cambio simétrica a la de *La Esfinge*.) Pueden observarse, por tanto, vínculos profundos entre los planteamientos dramáticos de la primera obra y de ésta. Ahora bien, Ángel quiere prescindir del modo de la representación como de algo sobrepuesto, que le es ajeno, caso distinto de Fedra, que no podrá, más que con la muerte (de ahí su necesidad interna) dejar su cuerpo de carne, la pasión que la constituye.

---

[97] Véase el comienzo del acto II. Y esto no es nuevo, pues ya lo encontramos planteado en *La Esfinge*. Baste recordar el texto de San Pablo en *Rom.*, 8, 1-17 y también 7, 13-25 y I *Cor.*, 2, 10-16.

Traducido así el conflicto o la situación esencial de esta versión unamuniana de la tragedia, podemos esquematizarlo con este modelo:

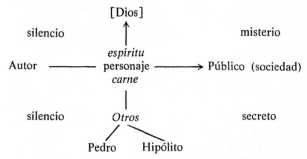

Fedra se encuentra ante esos otros personajes que no conocen su extrema tensión; no son más que contempladores de la tragedia. Y la última instancia sigue siendo Dios, quien reviste aquí un carácter contradictorio: es un Dios cristiano que permanece mudo. Dios es la gran ausencia de esta tragedia, el actante oculto que desde el vacío centra la pasión misma de Fedra y a quien se dirige la resolución de la muerte:

> Si no me presento con verdad, ¿cómo me admitirán en el cielo y me perdonarán lo mucho que he pecado en gracia a lo mucho que he amado?... ¡Oh, sí, sí! Ahora sí que creo y reconozco y confieso mi crimen... el último, sobre todo, el de mi muerte. ¡Perdón, Jesús mío, perdón!, etc., etc....

Parece que nos vuelve a surgir aquí el tema de la ausencia y su juego en la disposición general de *Fedra*. El centro de gravedad de la acción se desliza hacia un punto vacío que debía ocupar Dios y que sólo llena el silencio, sugerido o simbolizado por el decorado blanco y vacío. Y esto puede explicar también, indirectamente, la presencia continua de Pedro en escena. Eurípides y Racine, por necesidad, tal vez, y por decoro, alejan a Teseo. La vuelta del héroe pone en marcha la peripecia del desenlace trágico. En

Unamuno, es la ausencia de Hipólito. Porque en su obra es Dios el que verdaderamente podría perdonar, reconciliando a Fedra, pero ese perdón es incompatible con su pecaminoso deseo. La ausencia del perdón divino y su absoluta necesidad conducen a la muerte sacrificial de Fedra, asumida también como vehículo de reconciliación paterno-filial.

Terminamos, por tanto, dando a la calificación de *cristiana* toda la importancia que tiene para apreciar la creación y la novedad unamuniana. Esta situación fundamental nos remite a ella. Pero hay otros dos rasgos más que conforman esa verdadera y última dimensión: el cristianismo del personaje y la estructura de la existencia, puesta de relieve en la acción dramática.

Fue ya Van Tielghem quien, desde el comienzo, tomó en serio el carácter cristiano de Fedra, cosa que, a veces, la crítica posterior no ha continuado. Él describe el intento dramático de Unamuno como la respuesta a una pregunta posible: ¿qué hubieran sentido y hecho los personajes del mito de haber vivido en nuestros tiempos cristianos y burgueses? Luego caracteriza el cristianismo del personaje por una serie de prácticas y de comportamientos: invocaciones a la Virgen, medalla que lleva al cuello; por determinados principios morales: pudor y honestidad; y también por una cierta reserva que la purifica y absuelve ante los ojos del espectador. Sin embargo, va también más allá, hasta apuntar al sentido cristiano de la vida entera de Fedra, cuando verifica que en el final de la obra un solemne perdón cristiano se extiende sobre las víctimas.

En efecto, el personaje Fedra es cristiano no sólo por su léxico y por los signos exteriores, sino por lo que ellos manifiestan: que un polo de su constitución es la referencia absoluta al más allá divino, al misterio que la rodea desde el origen y hasta el fin. Y no solamente el personaje; también *Fedra,* obra dramática, muestra una estructura de la existencia que aparece históricamente vinculada con el cristianismo: falta como pecado, juicio con expiación y perdón-redención. La víctima no es aquí sólo objeto de la cólera o la indiferencia divina, es el sujeto activo de una culpa y de una expiación. Y, en este sentido, es importante que la obra no termine con la muerte de Fedra, sino con el mensaje póstumo en una carta que produce, tras la muerte, el triunfo de la verdad y, en él, la reconciliación. [98] Unamuno apela al mismo recurso que Eurípides (mensaje escrito para después de la muerte), pero en distinto momento y con un contenido opuesto. La tragedia de *Fedra,* sin anular su *pathos,* culmina en una serena armonía, fruto del sufrimiento redentor.

Es indiscutible que, en un primer momento, vemos *Fedra* como la tragedia del amor. Ahí está el mito clásico (con la oposición de Palas-Afrodita) y de ahí arranca el motivo dramático. En un segundo momento la podemos interpretar, también adecuadamente, como la tragedia de la soledad, ya que Fedra es una "persona impar", por usar la expresión acuñada. También Unamuno plantea esta dimensión e insiste en ella a través de motivos secundarios y recurrentes, como la maternidad frustrada. Pero la soledad no es necesariamente trágica, aunque aparece como una de sus condiciones. Sobre esos dos aspectos se apoya la última dimensión, la del sufrimiento redentor que es la constitución cristiana de la tragedia o la expresión de lo trágico dentro del cristianismo, como parece entenderlo Unamuno. De ello quiere dar cuenta esta secuencia: constitución de un personaje/persona, por la pasión (amor) —imposibilidad de la relación por falta de respuesta —culpa— culminación de la persona a través de la transformación de la pasión en dolor— consumación de la pasión y del dolor en el sacrificio expiatorio de la propia vida, fundiendo en la muerte culpa y arrepentimiento.

En resumen, consideramos que hay en *Fedra,* como fondo ideológico, determinante para la disposición de las acciones dramáticas, una estructura ontológica de inspiración cristiana que se resume en el esquema caída-expiación-re-

---

[98] Puede verse, sin embargo, la censura de D. L. Shaw a tal solución dramática desde el punto de vista de la técnica en *art. cit.,* p. 508.

dención.[99] El hombre y el mundo son destruidos por el pecado y reconciliados por la expiación. Ésta es la doctrina que hace suya el personaje al tratar de dar un significado a su muerte, y en esto, y en el resto de su conducta, incluso verbal, nos muestra una referencia cristiana de carácter existencial: su "existencia", como realización de la vida individual, tiene su autenticidad cifrada en la relación con un más allá divino que la obra sólo presenta como silencio. Y ahí se cumple lo último de la tragedia.

Aflora así un aspecto de gran complejidad, aquella de la dimensión trágica de la divinidad, una especie de teología trágica que se insinúa en algunos momentos del texto dramático.[100] Ya en el comienzo, Fedra comenta que la Providencia se ha servido de un ser bueno, Pedro, para ponerla a ella en esa situación; y vimos cómo Pedro actúa a continuación como instigador involuntario. Pero la nodriza, instancia de la conciencia y de la razón frente a la pasión (concentrada en el presente) de Fedra, le pregunta: ¿Providencia o Demonio? Hay ahí una distinción clara del principio del bien y del mal, una afirmación del orden que Fedra niega en función de una experiencia de lo caótico y

---

[99] Hay que reconocer que ya el gran crítico E. Díez Canedo había adelantado esta visión de la tragedia unamuniana en su comentario del semanario *España*: "el alma de Fedra es toda una pasión que la consume, y sólo en la muerte puede quietarse: conoce la culpa, se condena y la expía. Su muerte llevará a todos la calma, con la verdad que todo lo depura". Y, a su vez, comenta M. García Blanco: "Para algunos de los críticos de esta tragedia unamuniana, la mayor novedad de ella reside en el viraje cristiano que da a su heroína, *manteniendo una fuerza trágica, que se perdería de otro modo en lo alegórico o en lo adjetivo*. En ella, el Destino conserva su tremendo poderío, pero su ímpetu se estrella contra la verdad inconmovible en la que todo se purifica, sin que se haya perdido un ápice del desenlace de la tragedia antigua." *En torno a Unamuno*, Madrid, Taurus, 1965, p. 125. Estudia este aspecto J. Sánchez Lasso de la Vega, con referencia amplia a la culpa y al pecado, en *De Sófocles a Brecht*, Barcelona, Planeta, 1971, pp. 237-245.

[100] Véase P. Ricoeur, "El dios malo y la visión *trágica* de la existencia", en *Finitud y culpabilidad*, Madrid, Taurus, 1969, pp. 513-542.

confuso de su experiencia de la trascendencia: "¡Qué más da! Lo que importa es la inevitabilidad de la fuerza." Con lo cual, además, remite su pasión a un más allá incontrolable que está también relacionado con el pasado, la figura de su madre y la herencia.

Lo divino es, pues, aquí, un factor —el definitivo— de la condición trágica de *Fedra*. Se cumple aquel principio de H. Gouhier según el cual hay tragedia cuando hay trascendencia. [101] Y la trascendencia surge de nuevo, dentro del texto, en la mención repetida de la Esfinge; la cual, remitiéndonos al mito clásico, nos evoca fuerzas del inconsciente personal (que el médico no quiere contemplar), es decir, la marca interior de nuestro destino, y, a la vez, nos sitúa ante la imagen objetiva, exterior, de un rostro cruel y perverso, ante el enigma de la existencia como misterio que amenaza con la destrucción al ser humano.

Unamuno deja de nuevo planteada en su obra la posibilidad de una experiencia trágica del cristianismo, en los términos de la incertidumbre del destino y el desgarro del sentimiento. Cuál es el verdadero rostro de la divinidad. Esa duda es la que permite que *Fedra* se organice con la estructura del sufrimiento redentor y exprese a la vez un *pathos* trágico, resuelto en una catarsis, no en una pura desesperación nihilista. Si el personaje es cristiano, la obra es una gran cuestión abierta sobre esa misma condición.

José Paulino

---

[101] Véase Henri Gouhier, *Le Théâtre et l'existence*, París, J. Vrin, 1973, pp. 34-45.

NOTICIA BIBLIOGRÁFICA

1. Manuscritos

Manuel García Blanco menciona la existencia de varios borradores autógrafos de *La Esfinge* que Unamuno envió a sus amigos. En el *Inventario de cartas, manuscritos, papeles... que se encuentran depositados actualmente en el museo Unamuno de la Universidad de Salamanca,* Ediciones de la Universidad de Salamanca, 1980, se recogen varios de estos manuscritos (núms. 60 y 73 de la correspondiente sección y núms. 43, 62 y 95 de la revisión efectuada el 7 de junio de 1966, p. 220). Sin embargo, esta información no corresponde al estado actual del fondo, y tales manuscritos no son encontrables. Por ello, disponemos únicamente de las ediciones de M. García Blanco, pues *La Esfinge* permaneció inédita en vida del autor.

De *La Venda* se conserva manuscrito perteneciente a la Colección Sedó y actualmente en el *Instituto del Teatro* de Barcelona, con 31 páginas, tipo cuartilla. Igualmente existen borradores previos en hojas sueltas, a mitad de tamaño, en la Casa-Museo de Salamanca.

El manuscrito de *Fedra,* una copia ya cuidada, se conserva, por desgracia también incompleto, por el momento, en la Casa-Museo, habiéndose perdido el acto III.

2. Ediciones

La Esfinge. Aparece publicada, por primera vez, en *Teatro Completo.* Madrid, Aguilar, 1959, pp. 201-296. De nuevo en *Obras Completas,* tomo XII, Madrid, Afrodisio Aguado,

1958 (pero 1962), pp. 213-312 y *Obras Completas.* Tomo V. *Teatro completo y monodiálogos.* Madrid, Escélicer, 1968, pp. 141-220. En edición suelta, Madrid, Alfil, 1960 (Col. Teatro, 260).

La Venda, publicada con *La Princesa doña Lambra* en Madrid, Colección "El Libro Popular", n.º 24, 17 de junio de 1913, pp. 641-652 (con ilustraciones). Otras ediciones: *Cuadernos de Lectura* del Centro de Estudios Históricos. Junta para la Ampliación de Estudios. Curso para Extranjeros. Madrid, 1927, pp. 349-391. *El Adelanto* (Salamanca), 8 y 10 de enero de 1921 (cuadros I y II respectivamente). *Domingo* [Madrid], III, n.º 139, 15 de octubre, 1939, p. 3. *Revista Nacional de Cultura* (Caracas), VIII, 1946, pp. 7-17. *Teatro Completo,* pp. 297-324. *Obras Completas,* tomo XII, pp. 313-338, *Modern Spanish Prose and Poetry: An Introductory Reading.* Nueva York, Mac Millan, 1964, pp. 114-128. *Obras Completas,* tomo V, pp. 221-244.

Fedra. Por primera vez aparece en la revista *La Pluma,* de Madrid, II, II, n.ᵒˢ 8, 9, 10 de 1921 para cada uno de los tres actos, en pp. 1-15, 65-178, 129-139. Edición suelta en Madrid, 1924 (sin confirmar). *Teatro: Fedra. Soledad. Raquel encadenada. Medea.* Ed. M. García Blanco. Barcelona, Editorial Juventud, 1954. *Teatro Completo,* pp. 389-464. *Obras Completas,* tomo XII, pp. 400-472. *Primer Acto* (Madrid), n.º 58, noviembre de 1964, pp. 37-53. *Fedra. Soledad. El Otro.* Buenos Aires, Losada, 1964. (Otra edición en el mismo lugar y año, con J. P. Sartre y G. Marcel.) *Obras Completas,* tomo V, pp. 299-363.

3. TRADUCCIONES

La Sfinge. Introduzione di Ferdinando Carlesi. Traduzione di Gilberto Beccari. Lanziano, R. Carabba, 1922.
Fedra. Tragedia in tre atti. Traduzione di G. Beccari, con introduzione di F. Carlesi. Lanziano, R. Carabba, 1922.
Phaedra. Translation by William I. Oliver. 3 acts. (1959, aunque no publicada, al parecer).

BIBLIOGRAFÍA SELECTA

A) Estudios generales relacionados con el teatro de Unamuno

Abellán, José Luis: *Miguel de Unamuno a la luz de la Psicología*, Madrid, Tecnos, 1964.

Armas Ayala, Alfonso: "Unamuno y Canarias", en *Cuadernos de la Cátedra Miguel de Unamuno*, X, 1960, 69-99.

Ayllón, Cándido: "Experiments in the theater of Unamuno, Valle-Inclán and Azorín", en *Hispania* (Syracuse), XLVI, 1963, 49-56.

Blanco Aguinaga, Carlos: *El Unamuno contemplativo*, Barcelona, Laia, 1975.

Blecua, José Manuel: "Más confidencias de Unamuno sobre el teatro. Cartas a Federico Oliver", en *Homenaje a Emilio Alarcos García*, Valladolid, Universidad, 1965, 191-198.

Borel, Jean Paul: "Unamuno o la imposibilidad de vivir", en *El teatro de lo imposible*, Madrid, Guadarrama, 1966, 131-170.

Buero Vallejo, Antonio: "Unamuno", en *Primer Acto*, 58, 1964, 19-21.

Cantatore, Liliana: "El teatro en la obra de Unamuno", en *Humanidades*, 43, 1966, 35-53.

Clavería, Carlos: *Temas de Unamuno*, Madrid, Gredos, 1953.

Elizalde, Ignacio: "La metáfora senequista del *«theatrum mundi»* en Unamuno y Calderón", en *Letras de Deusto*, VII, 14, 1977, 23-41.

Escobar, María del Prado: «Dramaticidad en la obra extraescénica de Unamuno", en *Monte Agudo*, 15, 1956, 12-16.

Feal Deibe, Carlos: *Unamuno: El Otro. Don Juan*, Madrid, Cupsa, 1976.

Fernández Turienzo, Francisco: *Unamuno, ansia de Dios y creación literaria,* Madrid, Alcalá, 1966.

Franco, Andrés: "Sobre el género dramático en Unamuno", en *Studies in Honor of Mair J. Benardete,* Nueva York, Las Américas, 1965, 193-203.

——: *El teatro de Unamuno,* Madrid, Insula, 1971.

Garasa, Delfín L.: "Los empeños teatrales de Unamuno", en *Insula,* XIX, 216-217, 1964, 23.

García Blanco, Manuel: "Prólogo" en *Teatro Completo* de Miguel de Unamuno, Madrid, Aguilar, 1959, 11-198.

——: *En torno a Unamuno,* Madrid, Taurus, 1965.

García Luengo, Eusebio: "Unamuno, O'Neill y los géneros literarios", en *Revista,* II, 81, 11.

——: "Ese dramático dramaturgo", en *La Estafeta Literaria,* 300-301, 1964, 49-51.

García Pavón, Francisco: "Unamuno ante el teatro y el cine", en *Textos y escenarios,* Barcelona, Plaza y Janés, 1970, 227-237.

González del Valle, Luis: *La tragedia en el teatro de Unamuno, Valle-Inclán y García Lorca,* Nueva York, Eliseo Torres, 1975.

Granja, Javier: "La muerte y la inmortalidad como fuente de conflictos de personalidad en el teatro de Unamuno". Separata, Zarauz, Eusko-Ikaskuntza. Sociedad de Estudios Vascos, 1982.

Granja, José Javier: "El problema de la personalidad a través del teatro de Unamuno", en *Letras de Deusto,* VII, 14, 1977, 105-128.

Gullón, Ricardo: "Teatro del alma", en *Revista de la Universidad de Madrid,* XIII, 49-50, 1964, 197-209. Recogido en *Miguel de Unamuno,* ed. de A. Sánchez Barbudo, Madrid, Taurus, 1974, 385-399.

——: *Autobiografías de Unamuno,* Madrid, Gredos, 1964.

Laín Entralgo, Pedro: "Unamuno en el teatro", en *La Gaceta Ilustrada,* 12 y 26 del XII, 1964.

Lázaro Carreter, Fernando: "El teatro de Unamuno", en *Cuadernos de la Cátedra Miguel de Unamuno,* VII, 1956, 5-29.

Luby, Bary J.: "Unamuno y Dostoiewsky. Un estudio comparado de la tragedia cristiana", en *Estudios de historia, literatura y arte ofrecidos a Rodrigo A. Molina,* Madrid, Insula, 1977.

Macrí, Oreste: "La ejemplaridad en el teatro de Unamuno", en *Miguel de Unamuno*, ed. de A. Sánchez Barbudo, Madrid, Taurus, 1974, 377-384.

Marías, Julián: *Miguel de Unamuno*, Buenos Aires, Espasa-Calpe, 1950 (2.ª ed. en Selecciones Austral, Madrid, 1980).

Monleón, José: "Unamuno y el teatro de su tiempo", en *Primer Acto*, 58, 1964, 22-32.

——, *El teatro del 98 frente a la sociedad española*, Madrid, Cátedra, 1975.

Newberry, Wilma: *The Pirandellian Mode in Spanish Literature from Cervantes to Sastre*, Nueva York, University of New York Press, 1973.

Nuez, Sebastián de la: *Unamuno en Canarias. Las islas. El mar. El destierro*, Tenerife, Universidad de la Laguna, 1964.

Palomo, María del Pilar: "Símbolo y mito en el teatro de Unamuno", en *El teatro y su crítica. Reunión de Málaga*, Málaga, Diputación Provincial, 1975, 227-243.

Pérez de Ayala, Ramón: *Las Máscaras:* "Ideas de Unamuno sobre el teatro" en *El Sol*, 3 y 19 de marzo de 1918.

Robertson, David: "Unas notas sobre el teatro de Unamuno", en *Cuadernos de la Cátedra Miguel de Unamuno*, XXVII-XXVIII, 1983, 175-179.

Rubio Jiménez, Jesús: *Ideología y teatro en España: 1890-1900*, Zaragoza, Universidad de Zaragoza-Libros Pórtico, 1982.

Salcedo, Emilio: *Vida de don Miguel*, Salamanca, Anaya, 1970[2].

Sánchez Barbudo, Antonio: "El misterio de la personalidad de Unamuno", en *Revista de la Universidad de Buenos Aires*, VII, 1, 1950, 201-254.

——: "La fe religiosa de Unamuno", *Id.*, VIII, 2, 1951, 381-443.

——: "Una experiencia decisiva: la crisis de 1897", en *Estudios sobre Galdós, Unamuno y Machado*, Madrid, Guadarrama, 1968.

Sedwick, Frank: "Unamuno and Womanhood: his theater", en *Hispania*, XLIII, 3, 1960, 309-313.

Serrano Poncela, Segundo: *El pensamiento de Unamuno*, México, FCE, 1953.

Shaw, Donald L.: "Sobre algunos aspectos técnicos del teatro de Unamuno", en *Volumen Homenaje. Cincuentenario Miguel de Unamuno*, Salamanca, Casa-Museo, 1986, 501-514.

——: "Three plays of Unamuno: A survey of his dramatic technique", en *Forum for Modern Language Studies*, XIII, 1977, 253-263.

Summerhill, Stephen J.: "Death and God in Unamuno: Towards a Theory of Creative Symbolic Imagination", en *Revista Canadiense de Estudios Hispánicos*, III, 1, 1978.

Tilgher, Adriano: *La scena e la vita. Nuovi Studi sul teatro contemporaneo*, Roma, Libreria di Scienze e Lettre, 1925.

Tornos, Andrés: "Temas y problemas del teatro de Unamuno", en *Reseña de Literatura, Artes y Espectáculos*, 2, 1965, 65-70.

Torre, Guillermo de: "Unamuno y su teatro", en *Papeles de Son Armadans*, 36, 1965, 13-44.

Unamuno: Creator and Creation, ed. de J. Rubia Barcia y M. A. Zeitlin, Berkeley, University of California Press, 1964.

Valbuena Briones, Ángel: "El teatro clásico en Unamuno", en *Pensamientos y Letras en la España del siglo XX*, ed. de E. Inman Fox y G. Bleiberg, Nashville, University of Vanderbilt Press, 1966, 533-541.

Wyers, Frances: *Miguel de Unamuno: The Contrary Self*, London, Tamesis Books, 1976.

Zavala, Iris M.: *Unamuno y su teatro de conciencia*, Salamanca, Universidad, 1963.

Zubizarreta, Armando: *Tras las huellas de Unamuno*, Madrid, Taurus, 1960.

——: *Unamuno en su "nivola"*, Madrid, Taurus, 1960.

B) BIBLIOGRAFÍA PARTICULAR ACERCA DE LAS OBRAS AQUÍ EDITADAS

(Incluyendo reseñas de estreno en publicaciones periódicas)

1. *La Esfinge*

Anónimo: "Teatro: La Esfinge", en *Diario de las Palmas*, 25 de febrero de 1909.

González Díaz, F.: "Un acontecimiento", *Diario de las Palmas*, 2 de marzo de 1909.

Macías Casanova, Manuel: "Acontecimiento teatral: Estreno de *La Esfinge* de Unamuno", en *La Ciudad* (Las Palmas), 25 de febrero de 1909.

Morales, Tomás: "El estreno de *La Esfinge*", en *La Mañana* (Las Palmas), 26 de febrero de 1909.

Palomo, María del Pilar: "El proceso comunicativo de *La Esfinge*", en *Semiología del teatro,* Barcelona, Planeta, 1975, 145-166.

Shaw, Donald L.: "Imagery and Symbolism in the theater of Unamuno: *La Esfinge* and *Soledad*", en *Journal of Spanish Studies. Twentieth Century,* 7, 1, 1979, 87-104.

Tilgher, Adriano: "*La Sfinge* di Miguel de Unamuno", en *La Stampa,* 22 de diciembre de 1922.

2. *La Venda*

Cossío, Francisco de: "Actualidad literaria: Un drama de Unamuno", en *El Norte de Castilla,* 13 de junio de 1921.

Grandmontagne, Francisco: "Unamuno Dramaturgo: *La Venda*", en *El Tiempo* (Buenos Aires), 1966, 11 de marzo de 1921.

Palomo, María del Pilar: "*La Venda*: forma dramática primera de un tema unamuniano", en *El teatro en Miguel de Unamuno,* San Sebastián, Universidad de Deusto, 1987. (*Mundaiz.* Cuadernos Universitarios, 4).

Paucker, Eleanor K.: "*La Venda*: Short Story and Drama", en *Hispania,* XXXIX, 3, 1956, 309-312.

Paulino, José: "*La Venda*: Aproximación a un texto dramático", en *Actas del Congreso Internacional Miguel de Unamuno.* Salamanca. (En curso de publicación).

3. *Fedra*

Asís Garrote, María Dolores de: "Recreación del mito de Fedra en la *Fedra* de Unamuno", en *Volumen Homenaje. Cincuentenario Miguel de Unamuno,* Salamanca, Casa-Museo, 1986, 341-362.

Cardinali, Vittorio: "Una nuova *Fedra* di Miguel de Unamuno", en *Lettere* (Roma), III, 20, 18 de marzo de 1923.

Cejador, Julio: "Unamuno dramático", en *La Tribuna,* 30 de marzo y 4 de abril de 1918.

Ciruelo, J. I.: "Unamuno frente a los personajes de Medea y Fedra", en *Tradición clásica y siglo XX,* ed. de I. Rodríguez Alfageme y A. Bravo García, Madrid, Coloquio, 1986, 56-66.

Claver, José María: "*Fedra* de Unamuno, por la Compañía Ruiz de Alarcón", en *Ya,* 6 de abril de 1973, 45.

Corbalán, Pablo: *"Fedra* de Unamuno", en *Informaciones,* 6 de abril de 1973, 39.

Díez Canedo, Enrique: "Critilo": "La *Fedra* de Unamuno en el Ateneo de Madrid" en *España,* 28 de marzo de 1918.

——: *"Fedra,* tragedia de don Miguel de Unamuno", en *El Sol,* 10 de abril de 1924. Recogido en *Artículos de crítica teatral. El teatro español de 1914 a 1936,* México, Joaquín Mortiz, 1965, 9-12.

Fernández Almagro, Melchor: *"Fedra,* tragedia desnuda", en *La Gaceta Literaria,* 15 de marzo de 1930, 14.

García Viñó, Manuel: "La *Fedra* de Unamuno", en *Arbor,* 85, 1973, 111-119.

Geers, G. J.: "Miguel de Unamuno: Fedra", en *Nieuwe Rotterdamsche Courant,* 21 de junio de 1924, 5.

Fernández Santos, Ángel: *"Fedra* de Unamuno", en *Índice de Artes y Letras,* 108, 1957, 17.

Lasso de la Vega, José S.: *"Fedra* de Unamuno", en *De Sófocles a Brecht,* Barcelona, Planeta, 1971, 205-248.

Lázaro Carreter, Fernando: *"Fedra* de don Miguel de Unamuno", en *La Gaceta Ilustrada,* 826, 6 de agosto de 1972.

López Caballero, Alberto: *"Fedra* en literatura y cine", en *Razón y Fe,* 803, 1964, 425-438.

Mesa, Enrique de: *"Fedra* y el drama pseudohistórico", en *Apostillas a la escena,* Madrid, 1929, 240-245.

Marqueríe, Alfredo: "Nueva versión de *Fedra* de Unamuno", en *ABC,* 1 de marzo de 1960.

——: *"Fedra,* de Unamuno, en la Comedia", en *Pueblo,* 5 de abril de 1973, 43.

Nerva, Sergio: *"Fedra,* de Unamuno, por el teatro Dido", en *Suplemento* de *España* (Tánger), 8 de diciembre de 1957.

Paulino, José: *"Fedra",* en *Reseña de Literatura, Arte y Espectáculos,* 65, 1973, 15-16.

Prego, Adolfo: *"Fedra,* de Don Miguel de Unamuno", en *ABC,* 6 de abril de 1973, 92.

Reyes, Alfonso: "Sobre la nueva Fedra", en *Simpatías y diferencias,* Madrid, 1921, 61-69.

Tielgher, Adriano: "Fedra cristiana", en *Il Mondo* (Roma), 6 de enero de 1923.

Trend, J. B.: "Unamuno and the tragic sense", en *Alfonso the Sage and other Spanish essays,* London, Constable and Co., 1926.

Valbuena Briones, Ángel: *"Fedra",* en *La Estafeta Literaria,* 304, 1964, 24.

NOTA PREVIA

Seguimos en el texto aquí impreso la primera edición
de cada una de las obras, aunque tratándose de *La Esfinge*,
ésta sea muy posterior a la muerte de Unamuno y editada
por Manuel García Blanco, quien la incluyó en el volumen
Teatro Completo, de la editorial Aguilar en 1959. *La Venda*
recoge la edición de "El Libro Popular", núm. 24, de
1913, y *Fedra* su impresión en la revista *La Pluma*, números
8, 9 y 10, de 1921. No son tipográficamente las mejores,
pero son las únicas donde pudo intervenir el autor. En
el caso de estas dos obras hemos modernizado ligeramente
la ortografía y regularizado la puntuación según los usos
actuales, corrigiendo las erratas.

En las notas indicamos correcciones y variantes de los
manuscritos, cuando éstos nos han sido accesibles, y de las
principales ediciones, aunque éstas tengan todas una fuente
común. Y hay que notar que esta tarea se emprende aquí
por primera vez para el teatro de Unamuno, con más limi-
taciones de las esperadas, mientras hay ya ediciones bien
contrastadas de sus novelas. Las ediciones a que nos referimos son las siguientes, con las abreviaturas con que cons-
tan en las notas:

La Venda: "El Libro Popular" ... ...   LP.

Teatro Completo, Ed. Aguilar ... ...   A.

Teatro. Obras Completas, tomo XII. Afrodisio
Aguado ... ...   AA.

Teatro y Monodiálogos. Obras Completas, tomo V. Ed. Escélicer ... ...   E.

Los correspondientes manuscritos ... ...   Ms.

También en nota nos referimos a los pasajes de la Biblia y de obras literarias que parecen necesarios para comprender alusiones del autor, pero sin interpretaciones o comentarios personales —salvo contadas excepciones—, pues
consideramos aclarados para el lector los términos fundamentales en la bibliografía crítica citada y en el estudio de
la Introducción, donde se han expuesto los aspectos biográficos y literarios.

J. P

LA ESFINGE

Drama en tres actos

घर् द्वासि तद् तं भवपु

(Proverbio indio). [1]

τὸ γὰρ φρόνημα τῆς σαρκὸς θάνατος,
τὸ δὲ φρόνημα τοῦ πνεύματος ζωὴ καὶ
εἰρήνη.

Επιστ. Παυλον προς Ρωμαιους η´σ. [2]

To die, to sleep...; to sleep... perchance to dream!

(Hamlet). [3]

JOAQUÍN.   Hay que proponerse en la vida algún fin...
ÁNGEL.   ¿Para qué, si el universo no lo tiene?
JOAQUÍN.   ¡Para dárselo!

(La Esfinge. Acto II, escena IX).

---

[1] Texto en sánscrito, cuyo significado puede ser: "Te deseo que triunfes en la guerra."

[2] Epístola de San Pablo a los Romanos, 8, 6. "Porque el apetito de la carne es muerte, pero el apetito del espíritu es vida y paz."

[3] Conocida cita del drama de Shakespeare, *Hamlet,* III, I.

91

DRAMATIS PERSONÆ

ÁNGEL, *jefe revolucionario*	JOSÉ
EUFEMIA, *su mujer*	TEODORO
JOAQUÍN	NICOLÁS
FELIPE	MARTINA, *criada*
EUSEBIO	EL HIJO MAYOR *de Felipe*
LA TÍA RAMONA	EL HIJO MENOR *de Felipe*

La acción, en España, en la época actual. [4]

[4] Seguimos la ortografía común que es la de Aguilar (A), aunque Escélicer (E) cambie al uso particular de la j.

ACTO PRIMERO

Ocurre la acción en él representada en el aposento de una casa de familia regularmente acomodada, donde se hallan reunidas varias personas que han festejado con un refresco cierto fausto acontecimiento. En una mesa se ve el servicio de café y los restos del refresco. Hay a un lado un armario de luna entera.

ESCENA PRIMERA

EUFEMIA, ÁNGEL, JOAQUÍN, EUSEBIO, TEODORO, PEPE y NICOLÁS

JOAQUÍN. *(Dirigiéndose a* ÁNGEL.*)* Ahora sí que nadie se atreverá a disputarte la jefatura. Te la has ganado por aclamación popular.

EUSEBIO. La verdad, no esperaba de ti tanto. Nunca te he oído mejor.

PEPE. ¡Admirable! ¡Qué fuerza! ¡Qué pasión! ¡Vaya un modo de levantar en vilo al público! Ahora me explico cuanto nos cuentan del efecto que producían un Demóstenes, un Cicerón, un Mirabeau...

ÁNGEL. ¡Hombre..., hombre..., apea el tratamiento!

PEPE. ¡Quia! No te lo apeo. Eres todo un tribuno, chico. *(Le da una palmadita en el hombro.)*

NICOLÁS. Un golpe mortal a esa tiranía mansa que nos deshonra y envilece.

TEODORO.   Es todo un artista de la palabra... Gesto
sobrio, entonación solemne y unción; ésta es la palabra,
unción...

ÁNGEL.   ¿Hasta unción y todo?

EUSEBIO.   Sí, algo olió a sermón...

NICOLÁS.   ¡Protesto de eso!

TEODORO.   Tiene razón el doctor. Trascendía a sermón,
lo cual ayudó al efecto dando algo de religioso al acto. El
público está acostumbrado a los sermones y...

JOAQUÍN.   ¿Es que una revolución como la que prepa-
ramos no es, acaso, un sagrado sacrificio?

NICOLÁS.   No; una revolución es una revolución, una
ley natural, lo más humano que cabe.

JOAQUÍN.   Y de puro humano, divino...

ÁNGEL.   ¡Metafísico estás!

TEODORO.   Fue una obra de arte.

NICOLÁS.   No; ¡una obra revolucionaria!

TEODORO.   ¡Es lo mismo! Puede usted hacer, don Ángel, una vida muy hermosa, un verdadero alto relieve...

ÁNGEL.   Para que usted la ponga en coplas, ¿no es eso?

TEODORO.   ¡Quién sabe!

PEPE.   Nada, nada, a tus órdenes; aquí me tienes dispuesto a todo.

ÁNGEL.   Descuida, Pepe; serás conmigo en el paraíso...[5]

JOAQUÍN.   ¡Siempre el mismo! Y a usted, Eufemia, a
usted es a quien hay que felicitar ante todo, a usted, que
es el alma de este hombre, su sostén, su sentido de la realidad. Sin usted, seguro estoy de que en una de sus murrias
haría alguna de las que acostumbra.

PEPE.   Esas tristezas y desalientos son propios de todos
los escogidos.

ÁNGEL.   Que enseñas demasiado la oreja, Pepe...

EUFEMIA.   *(A ÁNGEL, bajo.)* Pero, Ángel, eres impla-
cable...

ÁNGEL.   ¿Es que ellos no me están mortificando...?

---

[5] Empleo irónico del texto evangélico de Lc. 23, 43, puesto en
boca de Jesús agonizante.

EUSEBIO.   Vamos a dejarte porque necesitas digerir tu triunfo.

EUFEMIA.   La verdad es que ese pobre pueblo merece cualquier sacrificio...

ÁNGEL.   ¡Ah! ¿Conque tú crees que debo sacrificarme por el pobre pueblo?

PEPE.   ¿Y qué duda cabe?

ÁNGEL.   Mira: ya tienes el apoyo de nuestro buen Pepe, que también es pueblo...

PEPE.   Gracias, maestro.

EUFEMIA.   Y tengo el apoyo de todo el que sienta con alma. ¿Vas a dejarle?

ÁNGEL.   *(Recogiéndose.)* Es verdad; hay que servirle. ¡Pobre pueblo! No sabe lo que quiere, pero algo quiere, mientras nosotros sabemos lo que queremos, pero no querer. ¡Libertad, libertad! ¡Santa palabra! Pero libertad efectiva, real. Cuando la herida se cicatriza cae la costra que la protegió en un tiempo; así ha de caer toda autoridad humana. Hay que disolver las formas muertas; hay que romper la costra en que se tiene encerrado al pueblo, y que irrumpa y se derrame su contenido. Fío en él. Es muy grande el instinto de las muchedumbres cuando no se le bastardea con imposiciones de fuera.

JOAQUÍN.   ¡Vamos, hombre, así quiero verte!

EUSEBIO.   Imposición de fuera es la oratoria...

ÁNGEL.   Sí, que podamos cerrar los ojos para siempre habiendo servido al porvenir, y que pise luego la Humanidad libre el polvo a que habremos de reducirnos. Día llegará en que a esta vieja tierra le tocará su turno y, hecha también polvo, se esparcirá por los espacios llevándose nuestra ciencia, nuestro arte, nuestra civilización toda reducida a aerolitos pelados. Y entonces cantarán las esferas celestiales el himno a nuestra libertad tan soñada. [6] ¡Pobre

---

[6] Referencia (posible) de Unamuno a unos versos de Carducci, *Il Monte Mario,* según indica Liliana Cantatore. Cf. Carlo Rossi, "Il Carducci in Unamuno". *Idea,* VIII, 1953. Traducción del texto por el mismo Unamuno en *Poesías* (1907).

pueblo! Tienes razón, Eufemia; merece cualquier sacrificio...

TEODORO. *(Que mientras hablaba* ÁNGEL *estaba arreglándose la corbata al espejo.)* ¡Hermosa evocación! ¡Trágico de verdad!

EUSEBIO. Son los nervios agitados por la emoción. Dejémosle, que necesita reposo...

JOAQUÍN. ¡Vaya! Te dejamos. Mi enhorabuena de nuevo.

ÁNGEL. Tú, Pepe, espera, y tú también... Venid a mi despacho. Tú *(Dirigiéndose a* EUSEBIO*)* ponme, en tanto, esa receta.

> *(Se van* ÁNGEL, JOAQUÍN, TEODORO, PEPE *y*
> NICOLÁS, *después de despedirse estos cuatro de*
> EUFEMIA *y* EUSEBIO.*)*

TEODORO. *(Aparte, al irse.)* Se queda este lagarto... ¡Intimidades!

ESCENA II

EUSEBIO y EUFEMIA.

EUSEBIO. No descuides a tu marido; me parece que emociones como la de anoche le perjudican.

EUFEMIA. Al contrario. ¡Vida, vida, mucha vida! La vida ahogará sus pueriles temores y extrañas tristezas.

EUSEBIO. No sea que le ahogue a él...

EUFEMIA. ¡Quia! No le conoces. Sólo necesita quien le sostenga.

EUSEBIO. ¡Ah, ya! *(Se sienta a la mesa, aparta una taza de café, saca del bolsillo un "block" de donde arranca una hoja.)* Tintero...

EUFEMIA. *(Mientras va a un extremo de la estancia y trae un tintero con su pluma.)* Parece providencial su situación, libre y desembarazado para poder entregarse en cuerpo y alma a su verdadera misión...

Miguel de Unamuno.

«ACASO LA LUZ OFENDE...» "LA VENDA"

Misterio, por don Miguel de Unamuno

Página del periódico *Domingo* (15 octubre 1939) con texto parcial y dos ilustraciones de *La Venda*.

EUSEBIO. *(Escribiendo.)* Providencial..., su verdadera misión... No conocía en ti esas doctrinas. ¡Enseña mucho la vida!

EUFEMIA. Sueles pasarte de listo, Eusebio.

EUSEBIO. ¡Psé! Quieres llenar el vacío de su alma tupiéndolo de gloria. Ese vacío no se llena así...

EUFEMIA. Siempre que hablas de mi Ángel lo haces de un modo... Cualquiera diría...

EUSEBIO. Sí, que no olvido que me dejaste por él... Habla claro, Eufemia.

EUFEMIA. ¡A otra cosa!

EUSEBIO. Mira, Eufemia: seamos sinceros siempre; es la eterna cantinela de tu gran hombre. Sé que empiezas a ver claro.

EUFEMIA. Ves visiones.

EUSEBIO. Veo realidades, y las veo por dentro. Es inútil que luches; has visto al grande hombre en..., en..., en bata, ¡vamos!

EUFEMIA. ¿Sabes, Eusebio, que si fueses otro te echaría de casa...?

EUSEBIO. Eso sucede siempre; si fuésemos otros... *(Al sentir a* ÁNGEL *despidiéndose de sus amigos, baja la voz.)* Ya está aquí. Si algún día, Eufemia...

EUFEMIA. Me basto sola, Eusebio. O con él todo, o sin él nada. Y no vuelvas a hablarme así.

ESCENA III

DICHOS y ÁNGEL.

ÁNGEL. *(Entrando.)* Qué, ¿os quedan todavía antiguas cuentas que ajustar?

EUSEBIO. ¡Oh, no! Pero ya comprenderás que las viejas amistades...

ÁNGEL. Tú siempre tan sinuoso, Eusebio. Me has oído mil veces que la absoluta sinceridad acabaría con todas las rencillas y reconcomios. Si nos viésemos todos desnudas las almas, fundiríase en amor una inmensa compasión mutua...

Eusebio.   *(Alargándole la receta.)* ¡Ahí está! Una cucharada antes de comer, y antes de cenar otra. ¡Y mucho reposo!

Ángel.   ¡Prescripción de la ciencia! Seamos con la señora ciencia respetuosos para que con nosotros lo sea ella...[7]

Eusebio.   Ahora te dejo descansar, porque observo los síntomas premonitorios de tu acceso sermonario. ¡Mucho reposo! (Ángel *se detiene ante él, cruzándose de brazos, como esperando a que siga.)* ¡Mucho reposo!

Ángel.   Bien, sigue.

Eusebio.   Ya te lo he dicho.

Ángel.   ¿Todo?

Eusebio.   ¡Hombre!

Ángel.   ¡Bueno! *(Le alarga la mano, y cuando* Eusebio *se la coge, tómasela con las dos, se le acerca y añade:)* Sé franco: ¿qué te parecí anoche?

Eufemia.   ¿No te lo ha dicho ya?

Ángel.   ¡Hablo con él y no contigo! ¿Qué te parecí?

Eusebio.   Que no eras tú el que hablaba, sino otro. Te excediste a ti mismo. En cuanto al público, creo que les decías una cosa y te entendieron otra.

Ángel.   Te entiendo. ¡Adiós!

Eusebio.   ¡Adiós, Eufemia!

Eufemia.   ¡Adiós, Eusebio!

(Se va Eusebio.)

ESCENA IV

Eufemia y Ángel.

Ángel.   ¡Pobrecillo!

Eufemia.   Tienes, Ángel, una manera de compadecer que hiere...

---

[7] Característica ironía respecto de la ciencia.

ÁNGEL.   Es porque más que nadie necesito de compasión yo.

EUFEMIA.   Déjate de esas cosas ya. ¡Levanta la cabeza y adelante! ¡Piensa en la causa del pueblo!

ÁNGEL.   Que es la tuya, ¿no es eso?

EUFEMIA.   Sí, la mía. Cuando te oí anoche olvidé los sinsabores que con tu humor me haces sufrir; te vi grande. Sé hombre y ten fe en ti mismo. Hasta esta soledad en que vivimos, y que acaso más de uno nos compadezca, nos deja libres, libres para obra más grande que la de fundar una familia...

ÁNGEL.   ¡Sinceridad, Eufemia, sinceridad!

EUFEMIA.   Te soy sincera. Más grande que echar al mundo seres para quienes sea, acaso, la vida desgracia, es aliviar la desgracia de las ajenas vidas. Tú, soltero, nada hubieses hecho; padre, tampoco. ¡Ten fe en ti... y en mí!

ÁNGEL.   ¿Y en ti? No la tienes tú misma.

EUFEMIA.   Sólo con una causa grande y noble llenarás el vacío que sientes.

ÁNGEL.   ¡Crecerá más...!

EUFEMIA.   ¡No!

ÁNGEL.   Es eso como el mar, que cuanto más de él se bebe, da más sed. No la apaga, y sí las aguas mansas y silenciosas del regato oculto entre las cañas. Es preciso que las aguas del mar soberbio suban al cielo, y que allí en nube se purifiquen para humillarse en lluvia que la tierra se traga...

ESCENA V

DICHOS, MARTINA y FELIPE.

MARTINA.   *(Entrando.)* El señorito Felipe...

ÁNGEL.   *(A* MARTINA.) ¡Ven acá! ¿Tú sabes quién fue Graco?

MARTINA.   No, señorito, no. Es el señorito Felipe el que espera...

ÁNGEL. ¡Dile que entre! *(A* EUFEMIA.) Confío que llegará día en que nadie sabrá quien fue Graco.

EUFEMIA. ¡Te dejo con tu amigote!

FELIPE. *(Entrando, con un libro en la mano.)* ¿Se va usted, Eufemia?

EUFEMIA. Sí; ustedes son como los enamorados: necesitan estar solos.

ÁNGEL. ¡Celosa!

EUFEMIA. *(A* ÁNGEL.) Luego volverás a cordura. ¡Adiós, Felipe! *(Se va.)*

ESCENA VI

ÁNGEL y FELIPE; al final, EUFEMIA.

ÁNGEL. ¡Gracias a Dios! ¡Solo! ¡Es como mejor se está!

FELIPE. *(Dándole el libro.)* ¡Ahí lo tienes! ¡Tómalo y lee! Él calmará tus penas.

ÁNGEL. Las han causado libros; no son ellos quienes pueden curármelas...

FELIPE. Ten calma, Ángel, y convierte tus pesares mismos en fuente de renovación. Huye de ese mundo en que te has metido y que acabará por agotar la fuente de tu vida íntima. Vete al campo; sumérgete en naturaleza libre; derrama en su serenidad tu espíritu, y luego recogiéndote en ti mismo, espera a Dios. Y si has de hacer algo, escribe allí en calma y con pureza de intención cuanto Él te inspire. Es mejor que dejes un consuelo que bañe en adelante las almas de los que sufren, que no el que contribuyas a dar a una pobre muchedumbre una falsa libertad que convertirán en esclavitud muy pronto. [8]

---

[8] En el conflicto de la obra parece plantearse un dilema entre dos términos de muy distinto valor, ya que la revolución se caracteriza, en estas palabras de Felipe, precisamente por su inautenticidad o por su irrelevancia: falsa libertad y nueva esclavitud. Así que no es que la revolución no sea importante, sino que es imposible y la verdad está en otro sitio, en el interior. Esto ya ha sido comentado como producto de la evolución unamuniana.

ÁNGEL. ¿Y cómo voy a dar consuelo a otros si para mí no lo tengo?

FELIPE. ¿Cómo? ¡Buscándolo!

ÁNGEL. Buscándolo…, buscándolo… ¡Lo convertiría en literatura al punto! No hago más que representar un papel, Felipe; me paso la vida contemplándome, hecho teatro de mí mismo. El campo remachará mi tristeza; he nacido para la sociedad. El progreso está en libertarse del terruño…

FELIPE. Y la felicidad en volver a él… ¡Elige!

ÁNGEL. ¿Y crees que me dejaría ir solo?

FELIPE. ¡Ve con ella!

ÁNGEL. ¿Con ella? Encuentra unas razones…

FELIPE. ¡Razones de esclavitud!

ÁNGEL. ¿Y mi historia? Es una cobardía.

FELIPE. Cobardía es no entregarse cada uno a su propio natural, desoyendo la voz de la conciencia… ¿A qué te metes a querer redimir al prójimo, si tan necesitado te hallas de propia redención? Regenérese cada cual y nos regeneraremos todos. Purifica tu vista y purificarás el mundo a tus ojos. Si tus oídos son castos, castigarán cuanto oigan. Importa poco…

ÁNGEL. Basta…, basta, que quieres seducirme. Yo no sé qué tienen para mí tus palabras…

FELIPE. Es que al oírme te oyes a ti mismo; es que doy forma a tu pensamiento íntimo.

ÁNGEL. Es que me enervas. (Levántase y se pasea.) No, no quiero, no quiero huir. Todo eso que me predicas es refinado egoísmo… "Ama a tu prójimo…"

FELIPE. ¡Como a ti mismo! Si no sabes amarte, ¿cómo has de amar a los demás?

ÁNGEL. ¿Cómo? ¡Enajenándome! Entregándome a ellos, a la causa de la libertad del pueblo; con puro desinterés, con abnegación. Es ese monstruoso egoísmo lo que a todas horas me pone ante los ojos del espíritu el espectro de la muerte y tras ella el inmenso vacío eterno. Yo no soy nadie. Voy a anularme del todo, a perderme en la muchedumbre. Renunciando a mí mismo es como, encontrándome al cabo, hallaré esa paz que no consigo… ¡No soy nada!

FELIPE. ¡No es malo que sepas que no eres nada!

ÁNGEL.   Sí, sé que no soy nada, pero quiero serlo todo. Serlo todo, para gozar de la paz del todo. ¡Paz! ¡Paz! Tú, que eres bueno, Felipe, dime: ¿dónde está?

FELIPE.   No me llames bueno. [9]

ÁNGEL.   Porque lo eres, te pido luces. ¡Gran fuerza de visión la bondad! Mi corazón no tiene ojos, Felipe; está ciego porque está sordo..., dormido...

FELIPE.   Prueba de que no duerme es que se agita...

ÁNGEL.   En sueños; late sin ritmo. No sé adónde voy. Dime, Felipe: ¿dónde está la paz, dónde? ¡Habla!

FELIPE.   Te dejo porque te exaltas. Es fácil que no nos veamos en algún tiempo, y hasta sospecho que me buscarás al cabo...

ÁNGEL.   Pero ¿te vas así?

FELIPE.   ¿Cómo así?

ÁNGEL.   Así..., vamos..., así..., qué sé yo... ¿Qué tenías que decirme?

FELIPE.   ¡Oh, nada, nada!... Traerte el libro...

ÁNGEL.   Nada... Nada... Sí, algo te ha impulsado a venir; tienes que ser un providencial mensajero, un enviado del Espíritu, un ángel... ¿Quién te ha traído? [10]

FELIPE.   Nada, te he dicho.

ÁNGEL.   ¡Pues no sales de aquí sin decírmelo!

FELIPE.   Pero ¿no has oído?

ÁNGEL.   (Cerrándole el paso.) ¡No, no sales sin cumplir tu misión!

FELIPE.   (Después de una breve pausa, llamando.) ¡Eufemia! ¡Eufemia!

ÁNGEL.   ¡Ah! ¿La llamas? ¿Quieres dejarme así a todo trance? ¡Bueno..., ve con Dios!

EUFEMIA.   (Entrando.) ¿Qué pasa?

FELIPE.   Nada; que su marido no quería dejarme salir y reclamé auxilio. Necesita sosiego; esa condenada asamblea le ha sacado de quicio...

---

[9] Ángel emplea las palabras del joven en el Evangelio de San Lucas y Felipe responde en los mismos términos de Jesús, según Lc., 18, 18-19.

[10] Referencia velada a *Hechos de los Apóstoles*, 8, 26 y ss.

EUFEMIA.   Al contrario; muchas así es lo que necesita...
FELIPE.   Tal vez... En fin, yo me voy. ¡Adiós, Eufemia!
¡Ángel, que te alivies!
ÁNGEL.   ¡Felipe!
FELIPE.   ¿Qué?
ÁNGEL.   Pero ¿te vas así...?
FELIPE.   ¡Adiós, Ángel! *(Se va.)*

ESCENA VII

ÁNGEL y EUFEMIA. LA TÍA RAMONA, luego.

EUFEMIA.   ¿Qué?
ÁNGEL.   Nada; ya le conoces; el de siempre. *(Mientras dice esto examina la cafetera, y al ver que queda café lo vierte en una taza, que se dispone a tomar.)*
EUFEMIA.   ¡Es tu ángel malo!

> *(Óyese un golpecito en la puerta y una voz que dice: "¿Se puede?")*

EUFEMIA.   ¡Adelante! *(Entra la TÍA RAMONA, y al verla hace ÁNGEL un gesto de impaciencia.)* ¿Qué ocurre, tía?
TÍA RAMONA.   ¿Tenemos hoy también convidados?
ÁNGEL.   *(A quien mira EUFEMIA como esperando respuesta.)* Que yo sepa, no... ¿Pues?
TÍA RAMONA.   Para disponer las cosas. Desde que se ha metido a personaje anda esta casa patas arriba... Todo se vuelve entrar y salir gente...
ÁNGEL.   ¿Y qué?
EUFEMIA.   *(A ÁNGEL.)* Calla y déjala. Ya sabes lo que es mi tía...
TÍA RAMONA.   No sé cómo se acostumbra a ese olor de tabaco que dejan... *(Empieza a recoger las tazas, platillos y demás enseres del refresco, y a arreglar la mesa.)*
ÁNGEL.   Pero eso es una simpleza.
TÍA RAMONA.   Lo será, puesto que lo dice. ¡Cuánto mejor en aquella casita de Torrevieja, tan tranquila!

ÁNGEL.   Si usted quiere, se le puede disponer allí una habitación...

TÍA RAMONA.   ¡Ay, Eufemia, siempre dije que tu marido no tiene más que púas!...

ÁNGEL.   ¡Pues no acercarse a ellas!

TÍA RAMONA.   Yo no sé a qué meterse en barullos, y más no teniendo hijos. No sé qué va ganando en ello. Pudiendo llevar una vida tan sosegada... ¡Valiente gusto! ¡Sólo se ganan ingratitudes! *(Va a recoger la taza en que* ÁNGEL *ha vertido el café.)*

ÁNGEL.   *(Reteniéndola.)* ¡No!

TÍA RAMONA.   *(Deteniéndose.)* ¡Bueno!

ÁNGEL.   Puede usted seguir arreglando la mesa. Es la mejor música a la letra que va entonando...

TÍA RAMONA.   Le advierto que no soy aquí una criada; que si estoy es porque...

ÁNGEL.   Sí, lo sé. *(Apura el contenido de la taza.)* Puede retirarla, y tráigame un vaso y la botella de agua. Y ahora vamos a echar una partida de ajedrez, Eufemia.

TÍA RAMONA.   Mira qué manera tan delicada de echarme tiene tu marido...

EUFEMIA.   Ya conoce usted sus cosas...

TÍA RAMONA.   Y bien sabe Dios que si las sufro es por ti; por tu pobre madre, que esté en gloria...

EUFEMIA.   Hay que perdonarle...

TÍA RAMONA.   ¡Puerco espín! *(Se va.)*

ESCENA VIII

EUFEMIA y ÁNGEL.

EUFEMIA.   Pero, Ángel, que no hayas de corregirte nunca...

ÁNGEL.   ¿Qué quieres? No resisto a esos tipos vulgares...

EUFEMIA.   *(Mientras trae el tablero de ajedrez y empiezan a colocar las piezas.)* Lo cual no quita que estés entonando siempre un himno a la sencillez, siempre con el amor al humilde en los labios. ¿Por qué te irrita esta pobre anciana? ¡Oh, qué amable la sencillez abstracta!, como tú dirías; pero encarnada y teniéndola que sufrir...

ÁNGEL.   La sencillez no es la tontería. De ser tonto, serlo hasta el idiotismo, que tiene su grandeza...

EUFEMIA.   ¡No disparates!

ÁNGEL.   *(Señalando al tablero.)* ¡Sal!

EUFEMIA.   Allá va; por esta salida que no te gusta...

ÁNGEL.   No, no me gusta; no hay como la clásica, la ordinaria, el "giuoco piano"...

EUFEMIA.   ¡Exacto, lo vulgar!

ÁNGEL.   No; lo consagrado por la experiencia...

EUFEMIA.   Pierdes así ese caballo...

ÁNGEL.   ¡Bueno! Cuando dejo perder algo será para ganar más...

EUFEMIA.   Pues no lo veo, y observo que hoy juegas peor que de costumbre...

ÁNGEL.   Es verdad; no veo una jugada, me lo impiden las piezas. ¡Y pensar que todo el interés que ponemos en el juego de la vida no es más que el de este juego! Pensar que nos embargue tanto el evitar que se mate a un rey o el matarlo; ¡a una piececilla de boj torneado! Ganarán la partida unos u otros, blancos o negros, e irán luego confundidos a la misma caja para recomenzar otra vez, y otra. ¿Y la utilidad final? ¡Divertirnos, matar el tiempo! ¿No estaremos los hombres con nuestras luchas matando la eternidad a un Ser Supremo que con nosotros juegue? ¡Jaque! Créeme, Eufemia, que todo es juego... Pierdes la torre... *(Bebe un trago de agua y vierte más en la copa.)*

EUFEMIA.   ¡Y el juego tú!

ÁNGEL.   ¿Quién sabe si estas piezas tienen alguna oscura conciencia y se creen libres y meditan en el plan providencial de sus movimientos?

EUFEMIA.   ¡Jaque! Con todas esas extravagancias no te fijas en el juego...

ÁNGEL.   ¿Y qué importa? ¡Ah! Esto es grave... Vaya, te lo doy por ganado.

(Se oye el piano del vecino.)

EUFEMIA.   Ya está el vecino con su piano…

ÁNGEL.   ¡Calla! *(Escucha un rato.)* ¡Mundo de pura armonía, de sonidos sin ideas, de libertad absoluta! ¡Palpita en él desligada el alma de las cosas. Mira: gracias a carecer de idea se unen y conciertan y armonizan esas notas… No dicen nada y, por no decir nada, lo dicen todo…

EUFEMIA.   Yo creo que adormecen…

ÁNGEL.   ¿Que adormecen? ¿Por qué no eres tú, Eufemia mía, una nota pura, purísima, sin letra, adormecedora…?

EUFEMIA.   Lo que debes hacer es salir, ir al Casino, bañarte en gente…

ÁNGEL.   Ven, ven acá, vamos a hablar de alma a alma… *(Mientras el piano sigue lleva a su mujer a un sofá, la sienta junto a sí, dándose cara, le toma las manos y le dice:)* Así, aquí, en frente mío. ¡Mírame a los ojos…, así, así, quieta!

EUFEMIA.   Me das miedo, Ángel. Yo no sé cómo eres…

ÁNGEL.   ¡Tampoco yo lo sé! ¿Qué importa?

EUFEMIA.   Pero ¿qué te pasa, hombre?

ÁNGEL.   No apartes tus ojos de los míos… Deja en directa comunión las almas… ¡Mírame a la mirada y no a mí!

EUFEMIA.   Por Dios, Ángel, que me…

ÁNGEL.   ¡Calla y oye! ¿Gloria? ¿Para qué quieres gloria? ¿Para qué quieres que tu nombre sobrenade al olvido, enlazado en las aguas de la historia al mío…?

EUFEMIA.   Pero, Ángel…

ÁNGEL.   Sí, padeces la obsesión de la gloria; es lo que te trajo a mis brazos… Lo demás ha sido desgracia del Destino… ¡Gloria, gloria! Nuestros oídos taponados por la tierra, y vueltos tierra ellos mismos, no oirán lo que de nosotros se diga; esos tus ojos que se me agarraron al corazón se liquidarán al cabo, y…

EUFEMIA.   No digas esas cosas, Ángel, que me haces daño y te haces daño a ti mismo… No eres ya el tribuno de anoche, eres otro… Algún mal espíritu te domina…

ÁNGEL.   Tú no has tenido madre, Eufemia. Te educó tu padre, y su indiferencia ha hecho estragos en tu alma…

EUFEMIA.   El caso es que a mí no me pasa lo que a ti, que fuiste muy de otro modo...

ÁNGEL.   Porque tienes acorchada el alma y presa de la obsesión de la gloria. Sólo ves lo visible..., ¡mujer al cabo!

EUFEMIA.   ¡Y tú, como hombre, lo invisible!

ÁNGEL.   ¡Me esfuerzo en ello, para que me brote el ojo espiritual!

EUFEMIA.   No digas extravagancias.

ÁNGEL.   ¿Extravagancias, dices? ¡Siempre mujer!

EUFEMIA.   Calla, Ángel, que me das miedo. No sé cómo eres.

(Cesa el piano.)

ÁNGEL.   *(Con pausa.)* Pues yo sí que sé cómo eres tú. Sé que ya que no te perpetúes en hijos de la carne, quieres dejar tu nombre unido a un nombre imperecedero...

EUFEMIA.   ¡Ángel!

ÁNGEL.   ¡Ah! Cambias de tono..., apartas tus ojos de los míos... ¡Bueno! Ya sé que allá, en tu interior, me culpas de la esterilidad de nuestro enlace... No, no te agites, ten calma, Eufemia. Crees que concentrando toda mi energía vital en el pensamiento, no me ha quedado para hacerte madre... No, no te levantes... *(Reteniéndola.)* ¡Como no te he dado hijos, me pides gloria! Llora, sí, llora... ¡Ven acá, Eufemia, perdóname!

EUFEMIA.   ¡Tú estás muy malo, Ángel!

ÁNGEL.   Sólo te pido que adormezcas mi vida, Eufemia, que me cantes el canto de cuna... Tú no sabes lo que sufro...

EUFEMIA.   ¡Y lo que haces sufrir!

ÁNGEL.   ¡Para curarte! Pero tú soñando sólo en gloria, y si yo no te sirvo para ella no dejarás de buscar...

EUFEMIA.   *(Levantándose, indignada.)* ¡Bruto! Si es locura...

ÁNGEL.   Pero, Eufemia...

EUFEMIA.   ¡Eufemia no es una pieza de ajedrez! *(Se va.)*

ESCENA IX

ÁNGEL, solo. [11]

¡Bruto! ¡Bruto! ¡Sí, bruto! Es mi animalidad la que así se agarra a la vida. Dios mío, ¿por qué mi alma no te crea en fuerza de fe? Quiero humillarme, ser como los sencillos, rezar como de niño, maquinalmente, por rutina... ¡Dame fuerzas, Dios mío, para que crea en Ti! ¡Dame fuerzas para que renunciando a mí mismo me encuentre al cabo en paz! Dame fuerzas para que humillándome doble mis rodillas y brote de mis labios la plegaria de la infancia... *(Mira a todas partes como por si le observasen y va a arrodillarse, pero al ir a hacerlo se levanta sobresaltado y se acerca a la puerta, como quien ha oído algún ruido.)* No, no tengo valor para confesarte... No me rechaces por ello... ¿No ha de ser el consuelo verdad? ¡Humíllate, Ángel, humíllate! *(Vuelve a intentar arrodillarse y hasta llega a hacerlo, pero con disimulo, como por coger algo del suelo.)* ¡Padre...! *(Se levanta y va hacia la puerta.)* Esto es terrible; voy creyendo que no estoy sano... *(Pone una silla junto a la mesa, al lado opuesto de la puerta, y se arrodilla.)* ¡Con qué sencillez lo hacía de niño! Padre nuestro, que estás...

(Al sentir llamar a la puerta se levanta sobresaltado, va a ella y abre a MARTINA, *la criada, que entregándole una carta, se dispone a marchar.)*

ESCENA X

ÁNGEL y MARTINA.

ÁNGEL.   ¡Espera! *(Repasa la carta con la vista.)* Dime: ¿cómo rezas?

---

[11] Para este parlamento tiene importancia el *Diario íntimo* y los artículos de 1900, "La fe" y "¡Adentro!".

MARTINA. ¡Qué cosas se le ocurren al señorito!

ÁNGEL. ¿Qué le dices a Dios?

MARTINA. ¿A Dios? Yo no le digo a Dios nunca nada...

ÁNGEL. *(Aparte.)* Se entienden sin hablar. *(A MARTINA.)* ¿Pues a quién rezas?

MARTINA. *(Encogiéndose de hombros.)* ¡Yo no entiendo de eso! Lo que me enseñaron mi madre y el señor cura sólo...

ÁNGEL. ¿Tienes miedo a morirte?

MARTINA. Pero ¡si no estoy enferma...!

ÁNGEL. ¿Y si te mueres?

MARTINA. Algún día será...

ÁNGEL. Y novio, ¿le tienes?

MARTINA. *(Bajando los ojos.)* Dicen por ahí, señorito, que es usted..., vamos..., que es usted un poco... un poco...

ÁNGEL. Algo loco, ¿no es eso?

MARTINA. ¡No, no, eso no!

ÁNGEL. ¡Bueno! Ten novio; cásate con él, cría hijos para el cielo; vive siempre así, en paz y en gracia de Dios; reza como te enseñaron, sin pensar en lo que reces, y luego muérete naturalmente..., como se debe morir...

MARTINA. Cuando Dios quiera..., ¿qué remedio?

ÁNGEL. ¡Es verdad; no hay remedio para la voluntad de Dios! A ti no te importa del recuerdo que dejes... ¿Sabes leer?

MARTINA. En mi catecismo sólo...

ÁNGEL. ¡A todos nos sucede lo mismo!

MARTINA. ¿Quiere usted algo más?

ÁNGEL. ¿Que si quiero algo más? Es tanto lo que quiero..., ¡tanto! Ni yo sé lo que quiero... Vete, y no te olvides de rezar por mí...

(Se va MARTINA.)

ESCENA XI

ÁNGEL, solo.

(Repasando la carta.) No debo acudir a la cita. Renunciaré de una vez para siempre a esa vida que se me convierte en muerte. Daré un adiós definitivo al mundo, quemando mis naves. ¡La renuncia! *(Se sienta en la mesilla-escritorio, disponiéndose a escribir.)* Una renuncia irrevocable; un acto, un verdadero acto, como dicen ellos; algo que me incapacite para volver a la vida pública, donde se tolera todo menos la confesión de culpas... *(Se pone a escribir. Vuelve a ponerse a escribir cuando llaman a la puerta.)* ¡Adelante! *(Entra* JOAQUÍN, *y* ÁNGEL, *sin dejar de escribir, le saluda diciéndole:)* ¡Otra vez tú por aquí! ¡Espera un poco!

ESCENA XII

ÁNGEL y JOAQUÍN.

JOAQUÍN.   *(Aparte.)* No se puede abandonar el campo a la gente de Moreno; sería la demagogia. Si éste fuera otro... Pero...

ÁNGEL.   *(Sin dejar de escribir.)* ¡Habla!

JOAQUÍN.   ¡Sí, otra vez! He tenido un encuentro y me he creído obligado a venir a darte la voz de alerta: ¡se conspira contra ti!

ÁNGEL.   ¿Contra mí? *(A todo esto sigue escribiendo.)*

JOAQUÍN.   ¡Sí, contra ti! Y debes mañana, en la sesión definitiva de la junta revolucionaria, desbaratar sus planes. Se trata de arrebatarte la jefatura.

ÁNGEL.   *(Cerrando la carta.)* ¿Y no es más que eso?

JOAQUÍN.   ¿Te parece poco? El general y Moreno se han puesto de acuerdo para anularte en lo posible...

ÁNGEL.   ¡Santa anulación!

JOAQUÍN.   ¡Basta de bromas! Voy a exponerte al detalle su plan.

ÁNGEL. No, no lo hagas, que nada me interesa. Son ridículas miseriucas de ese juego que llamáis política, para el que hace falta sentido práctico o de la realidad, que yo diría sentido de las apariencias; y como carezco de él, he decidido renunciar a tal juego. Pueden hacer Moreno y el general lo que gusten. Desde hoy ha muerto para mí el mundo ese; quiero ser libre, ¡libertad! ¡Libertad!

JOAQUÍN. Pero, Ángel, ¿estás en tu juicio?

ÁNGEL. A él quiero prepararme.

JOAQUÍN. Pero oye...

ÁNGEL. ¡No oigo!

JOAQUÍN. ¿Renuncias así a tu porvenir?

ÁNGEL. ¿A cuál?

JOAQUÍN. ¡A tu porvenir!

ÁNGEL. Pero ¿a cuál, te pregunto, a qué porvenir?

JOAQUÍN. ¡Siempre con la misma idea fija! ¡O acabas con ella o acabará contigo!

ÁNGEL. ¡Sí, conmigo acabará!

JOAQUÍN. Vaya..., que tienes unas cosas... Eso se te pasará durmiendo...

ÁNGEL. Durmiendo, sí; en durmiendo el último sueño, el sueño sin despertar. ¿Ves esta carta? Va en ella mi renuncia al mundo ese..., ¡al mundo! Y el regocijo de esos pobres hombres...

JOAQUÍN. *(Intentando quitarle la carta.)* ¡Ten formalidad alguna vez!

ÁNGEL. *(Defendiéndola.)* ¡Eh, alto! ¿No predicas libertad?

JOAQUÍN. *(Insistiendo en quitársela.)* ¡Es que hay que tratarte como a un niño!

ÁNGEL. ¡Joaquín! *(Forcejean.)*

JOAQUÍN. No atiendes a razones...

ÁNGEL. Y apelas a la fuerza... ¡Viva el progreso!

JOAQUÍN. Vamos, basta de niñerías... ¡Dámela!

ÁNGEL. No quiero, ¿lo has oído? La razón suprema: ¡no quiero!

JOAQUÍN. Siempre el niño mal educado...

ÁNGEL. ¡No quiero, no quiero y no quiero!

JOAQUÍN. ¡Alma de déspota!

ÁNGEL.   ¡No quiero..., no quiero!

JOAQUÍN.   ¡Es lo único que sabes: no querer...!

ÁNGEL.   ¡Joaquín!, ¿querrías hacerme el favor de irte...?

JOAQUÍN.   No sin que antes me prometas no enviar esa carta, por lo menos, hasta que mañana nos veamos...

ÁNGEL.   ¿Y quién eres tú para exigirme promesa alguna? ¿Soy yo o eres tú quien de mí ha de dar cuenta? Mucho de predicar tolerancia, sinceridad, libertad; pero cuando alguien quiere ser de veras sincero y libre, ¡contra él todos! Pasen las mayores extravagancias, las opiniones más absurdas, la conducta más depravada; pero emprender en serio el camino de su propia redención..., todos sois a motejarle e impedírselo. Creeríase que leéis en su conducta un reproche mudo. ¡Libertad! Es lo que quiero: libertad de ser como por dentro me siento... ¡Libertad! ¡Verdadera libertad!

JOAQUÍN.   Piensa bien lo que haces, no sea que te traiga amarguras.

ÁNGEL.   Es lo que necesito: amarguras, dolores, desprecios, a ver si acallan el dolor del alma, la lástima que a mí mismo me tengo... Y mira, Joaquín: perdóname si te he faltado...; tú me conoces...

JOAQUÍN.   No hablemos de eso... Pero esa carta...

ÁNGEL.   ¡Deja lo de la carta!

JOAQUÍN.   Volveré mañana, cuando te hayas calmado. ¡Adiós! *(Aparte.)* No la enviará...

ÁNGEL.   ¡Adiós!

(Se va JOAQUÍN.*)*

ESCENA XIII

ÁNGEL, solo; después, MARTINA.

ÁNGEL.   ¡No quiero, no, no quiero! *(Llamando.)* ¡Cuanto antes, en caliente! ¡Que no vuelva a apoderarse de mí el demonio! *(Entra* MARTINA.*)* ¡Ven acá, Martina! Toma esta carta y llévala a casa de Moreno; ya sabes dónde vive.

MARTINA.   ¿Tiene contestación?

ÁNGEL.   No, casi nada la tiene. Toma la carta y llévala. *(Vacila un rato.)* Preguntas por Moreno y se la das a él mismo... ¿Has oído? No, no, ¡dásela a quien salga! ¡Anda, tómala y vete en seguida; pronto, pronto!

(Se va MARTINA.*)*

MARTINA.   *(Volviéndose.)* ¿Manda usted...?

ÁNGEL.   ¡No, no, vete! ¡No quiero, no, no quiero! *(Sale* MARTINA.*)* ¡Se acabó! ¡No puedo ya arrepentirme! *(Empieza a pasear, cabizbajo.)* Ahora, a templarme en el recogimiento; a entonar mi corazón, y después, cuando le hiera el Espíritu, que sopla donde quiere, [12] me arrancará limpia y pura mi nota, la mía propia, para que vaya a perderse en la infinita sinfonía, en el cántico universal al amor del Padre. *(En los paseos por la estancia pasa frente al espejo, y ahora, al aproximarse a él cabizbajo, vislumbra de pronto su propia imagen como una sombra extraña y se detiene ante ella sobrecogido. Levanta la vista al espejo y se contempla un momento. Acércase en seguida a él, y cuando está como en entrevista con su propia imagen, se llama en voz queda:)* ¡Ángel! ¡Ángel! *(Momento de recogimiento, tras el cual se pasa la mano por la frente, como ahuyentando una pesadilla, carraspea, se mira y palpa disimuladamente, avergonzado, y dice:)* ...¿Sombra?... ¡No!... ¡No!... ¡Vivo!... ¡Vivo!... *(De pronto, sintiendo una violenta palpitación, lanza un gemido y se lleva la mano al pecho, diciendo:)* ¡Pobrecillo! ¡Cómo trabajas! Sin descanso. Tú velas, mientras éste *(Pasándose la mano por la frente.)* duerme, y si hay peligro, con tus latidos le despiertas. No me cabes en el pecho, ¡pobrecillo! Quieres latir en todo y con todo; palpitar con el universo entero; recibir y devolver su savia eterna, la que viene de los infinitos mundos y a ellos vuelve. ¡Y con tanto anhelar derramarte me ahogas..., sí... me ahogas! *(Va a la mesa, vierte agua*

---

[12] Nueva referencia al Evangelio: Jn., 3, 8, tomando las palabras de Jesús a Nicodemo.

en el vaso, la coge y apura de un trago casi todo su con-
tenido; lo que resta se lo echa en la palma de la mano
para rociarse la frente con ello.) ¡Quién pudiera sorberse
así al Espíritu universal! ¡Dios mío! ¡Anégame, ahógame!
¡Que sienta mi vida derretirse en tu seno!

(Cae el telón.)

FIN DEL ACTO PRIMERO

ACTO SEGUNDO

En otra estancia de la casa de Ángel. Un retrato de mujer.

ESCENA PRIMERA

Eufemia, bordando; la Tía Ramona, Ángel, luego.

Tía Ramona.   Hoy parece más calmado, pero sigo creyendo que tu marido no anda bien de la cabeza. ¡Claro! Ha querido meter tantas cosas en ella... Leer, leer y más leer... ¡Eso vuelve loco a cualquiera!

Eufemia.   No está ahí el mal.

Tía Romana.   Si viviera tu pobre madre y te viese casada con ese erizo...

Eufemia.   Le tiene usted muy mala voluntad, tía, y sin razón para ello. Es brusco, pero, en el fondo, cariñoso.

Tía Ramona.   Tan en el fondo, que es como si no lo fuese... En el fondo todos somos buenos.

Eufemia.   Y a usted le aprecia...

Tía Ramona.   ¿A mí? ¡Como a una rata! Por supuesto, no se me da un comino de ello. De aquí a cien años no será él más que yo...

Eufemia.   Gracias que no le oye eso...

Tía Ramona.   Aunque me lo oyese. Está bien pensar en cosas muy altas, muy altas, pero los demás también somos personas.

Eufemia.   Es que se abstrae...

TÍA RAMONA.   Pues no abstraerse, que para eso vivimos en el mundo.

ÁNGEL.   *(Entrando.)* Se murmura, ¿no es eso? *(Pausa.)* Tiene usted razón, señora, soy un puerco espín. Con usted me he mostrado siempre harto desdeñoso, ¡hasta grosero! Y lo cierto es que le debemos gratitud. Perdónemelo todo, que yo le prometo procurar corregirme; ¡perdónemelo, por Dios!

TÍA RAMONA.   *(Haciendo pucheros.)* ¡Pobrecillo! Bien dice Eufemia que tiene un excelente fondo… ¡Si viviera mi hermana!

ÁNGEL.   Usted es necesaria en esta casa; es la que rige su curso ordinario, esa multitud de pequeños detalles que forman la verdadera trama de la vida. Le ruego que siga aquí siempre y que me riña cada vez que me vea propasarme. Tráteme como a un niño.

TÍA RAMONA.   Por Dios, don Ángel…

ÁNGEL.   ¿Don Ángel?

EUFEMIA.   Más vale que todo haya parado en bien…

TÍA RAMONA.   Me voy porque el corazón me sofoca… ¡Que Dios ayude a tu marido, Eufemia! *(Se va.)*

ESCENA II

EUFEMIA y ÁNGEL.

EUFEMIA.   Lo que has hecho, Ángel, créemelo, no tiene nombre. No tienes ambición; ¡no eres hombre!

ÁNGEL.   No, por lo visto, el que tú buscabas. ¡Tú sí que no eres…, digo, tú sí que eres mujer!

EUFEMIA.   ¡Renunciar de esa manera a tu porvenir…!

ÁNGEL.   ¡No, a mi pasado, para conquistar nuestro porvenir!

EUFEMIA.   Mira, Ángel: aún te queda tiempo de reparar lo hecho con un arranque vigoroso; hasta por higiene debías ponerte en cuerpo y alma al servicio de la causa de la libertad y del pueblo…

ÁNGEL. Higiene..., libertad..., pueblo... ¡Cómo te gustan los logogrifos! [13]

EUFEMIA. Lo que tú necesitas es distraerte. ¿Quieres que hagamos un viaje?

ÁNGEL. *(Aparte.)* Me tiene por loco ya; no hay duda. *(A ella.)* No; ahora no debo salir de aquí, sino esperar los acontecimientos. ¡Quién sabe lo que hay debajo de mi renuncia!... ¡Esa dichosa revolución necesitará de una reacción que la consolide...!

EUFEMIA. Pero, Ángel, ¿qué quieres decir con eso?

ÁNGEL. Me lo esperaba, porque te conozco. A ti ni el pueblo ni la libertad te quitan el sueño. Lo que quieres es que pasemos a la historia de cualquier modo que sea, y ni aun eso, sino figurar mientras vivas, influir, ser centro..., ¡la mujer del amo...! ¡Tienes razón; acción, vida, energía..., vivir..., vivir..., vivir lo más posible!

EUFEMIA. ¡Pero, hombre!

ÁNGEL. Son transiciones del pobre loco... Ya sé que entre tú y tu Eusebio estáis tramando mi curación...

EUFEMIA. *(Que al oír lo de "tu Eusebio" se ha levantado, indignada.)* Ángel, te dejo. Te haces el loco para mortificarme con el desdén que siempre me has profesado por ser yo mujer y nada más que por eso. La esposa del genio debe ser una muñeca, ¿no es eso? Desahogas en mí tu soberbia herida... Represento a tus ojos la concesión que al instinto animal puede hacer tu espíritu privilegiado... Así sois los hombres...

ÁNGEL. Pero, Eufemia...

EUFEMIA. Eufemia es tan persona como tú. Hace tiempo que me he convencido de que me tomas no de fin, sino de medio, como tú dirías. Para ti no hay más fin que tú mismo. Convéncete, Ángel, de que todo lo que sufres es un inmenso orgullo, un orgullo masculino, un egoísmo monstruoso, [14] que estás completamente encanallado en ese

[13] *Logogrifos*: es un enigma que consiste en hacer diversas combinaciones con las letras de una palabra.

[14] Así también AA. En cambio, E. *todo lo que sufres es un inmenso orgullo masculino, un egoísmo monstruoso*

culto a ti mismo, que tanto combates en otros. Como vives
lleno de ti mismo crees que en muriéndote tú se acaba el
mundo, y la muerte significa para ti la nada...

Ángel.   *(Abatido.)* ¡Calla, calla, por caridad! Calla y
no hables de lo que no entiendes...

Eufemia.   ¡Claro! Yo, pobre mujer, no entiendo de esas
cosas. No puedo seguirte a las alturas. Mira lo que es haber
casado el águila con la gallina...

Ángel.   Calla, que me haces daño con tus...

Eufemia.   ¡Es el cauterio!

Ángel.   ¡Calla, y no me atormentes más, por Dios,
Eufemia! Ven, ven y cúrame... ¡Sí, tienes razón en todo!
Vamos, ven, abrázame..., no me tengas miedo... Vámonos
de aquí al campo, a la soledad, y allí me mimarás como a
un niño, a ver si logras devolverme la infancia...

Eufemia.   Así..., así..., tomarme de instrumento...

Ángel.   ¡Por Dios, Eufemia, ten piedad de mí!

Eufemia.   *(Rehaciéndose después de haberse enjugado
una lágrima con disimulo.)* ¿La has tenido tú de mí...?
Conozco tus mañas; después de estas humillaciones y ternezas te levantas más tirano que antes. Me trajo, sí, me
trajo a tu hogar un ensueño, y tú ¿qué has hecho? Te debe
parecer muy grande renunciar a una reputación, despreciar
una justa gloria... La quieres más exquisita... Quieres es-
condida ermita en que durante generaciones te rindan culto
fervoroso a ti solo los iniciados, y no la pomposa fiesta de
la muchedumbre en el gran templo resonante, de un día...
Te entiendo... Eres un genio no comprendido, muy sobre
el vulgo, inaccesible a una pobre mujer, ligada al fugitivo
presente...

Ángel.   *(Irguiéndose y con calma.)* Todo eso te lo debe
de decir Eusebio, ese feminista, o como se diga...

Eufemia.   No te sirve ya esa arma; está mellada...

Ángel.   Lo que está mellado es tu corazón...

Eufemia.   A tus golpes, Ángel.

Ángel.   *(Paseándose.)* Te ofrezco paz y me la recha-
zas...

EUFEMIA.   Me quieres de adormidera que calme tus in-
somnios con cantos de cuna…, o de juguete. ¡Vaya con el
niño!

ÁNGEL.   ¿Qué sabes de eso? Tú no has tenido madre,
Eufemia. Tu padre te hizo descreída y ambiciosa, y sin
saberlo tú misma, ansías creer…

EUFEMIA.   ¿Yo?

ÁNGEL.   ¡Sí, tú, tú!

EUFEMIA.   Creí en ti cuando me casé. He perdido la fe.

ÁNGEL.   Mira, vete, vete ya. ¡Déjame en paz! *(Se tapa
los oídos.)*

EUFEMIA.   *(Oyendo que llaman a la puerta.)* ¡Adelante!

MARTINA.   *(Apareciendo en la puerta.)* El señorito Eusebio…

ÁNGEL.   ¡Anda, vete, recíbele…; desahogaos!

EUFEMIA.   ¡Miserable!

ÁNGEL.   Ése, ése sí que te hará famosa, siquiera por
unos días…

EUFEMIA.   *(Con voz ahogada.)* ¡Ángel! ¡Ángel! *(Se le
acerca, y al verle aplanado.)* ¿Por qué juegas así con lo más
sagrado?

(Entra EUSEBIO y se queda en expectación.)

ÁNGEL.   Sagrado…, sagrado… Si tú y yo nos reducimos al cabo a polvo y nombre, ¿qué quiere decir eso de
sagrado?

EUFEMIA.   ¡Pobre Ángel!

ÁNGEL.   El loco, ¿no es eso? Mira: ahí le tienes. *(Señalando a EUSEBIO.)*

ESCENA III

DICHOS y EUSEBIO.

EUSEBIO.   Buenos días. Veamos al neurasténico.

ÁNGEL.   ¡Neu-ras-té-ni-co…! ¡Qué cosa tan admirable
es la ciencia! ¿Quieres que te enseñe la lengua? Debo de

ser un buen conejillo de Indias. [15] Monomanía..., ¿de qué clase? ¡Neurosis..., mielina..., tálamo óptico..., vesania...! ¡Sois unos estúpidos!

EUSEBIO. *(Con sorna.)* Cuídate del hígado... No se me quita de la cabeza que todo eso que te pasa ha de reconocer por causa algún desarreglo hepático...

ÁNGEL. Y ese tu juicio proviene de grasa espiritual, no lo dudes. Mira: toma también el pulso a mi mujer, que padece monomanía de las grandezas y algo de delirio de las persecuciones, y podéis, de paso, recordar los tiempos en que erais novios...

EUFEMIA. Veo que te parece muy genial eso de hacerte el loco...

EUSEBIO. Juego peligroso, porque una de las más graves locuras es la de fingirla.

ÁNGEL. ¿De veras?

EUSEBIO. Y tan de veras. Y llegan momentos en que el único tratamiento es una camisa de fuerza.

ÁNGEL. ¡Gracias a Dios que reventaste, Eusebio! No hay peor cosa que guardarse el rencor: no hace más que envenenar nuestros sentimientos y amargarnos el alma. Estoy seguro de que más de un asesino habrá empezado a sentir amor a su víctima una vez que satisfizo en ella su odio...

EUSEBIO. Tan sólo en consideración a tu estado se te puede soportar lo que yo te soporto.

EUFEMIA. ¡Eusebio!

EUSEBIO. No temas nada. Tú has sido siempre un hombre débil, sin voluntad ni valor, sin más que inteligencia pelada: un cobarde. Y ahora adoptas ese aire de extravagancia para vomitar cuanto se te pudría dentro. Estás muy enfermo, sí, pero de orgullo... Es una enfermedad muy triste...

ÁNGEL. *(Deteniéndose en sus paseos.)* Mira, Eusebio: lo que yo quiero es paz, y en nombre de ella te ruego que me dejes de una vez, que te vayas de esta casa para no volver a poner en ella los pies. Despídete con calma de mi

---

[15] Así también AA. Y E. *Debo ser un buen conejo de Indias*

mujer; hazle las advertencias que quieras; hablad a vues-
tras anchas. Os dejo. *(Se va.)*

EUFEMIA.   *(Llamándole.)* ¡Ángel! ¡Ángel!

ESCENA IV

Al encontrarse solos se miran EUSEBIO y EUFEMIA
un rato en silencio.

EUSEBIO.   ¿Has visto cosa igual?

EUFEMIA.   Cada día le comprendo menos…

EUSEBIO.   *(Como hablando consigo.)* Loco de orgullo
y de egoísmo…

EUFEMIA.   No hables mal de él, Eusebio, te lo suplico.
Piensa en lo que acaba de hacer.

EUSEBIO.   ¡Sí; un rasgo!

EUFEMIA.   Te repito que no hables de él así.

EUSEBIO.   Ahí tienes lo que es desoír al corazón. ¡Te
casaste con él por vanidad…, por sed de gloria…, y mira!

EUFEMIA.   Si supieras lo que sufre…

EUSEBIO.   Y lo que te hace sufrir…

EUFEMIA.   ¡Eso no importa!

EUSEBIO.   Y tú no has nacido para mártir. A mí no
me engañó; preví su fracaso…

EUFEMIA.   Nadie tiene mejores ojos que la envidia…

EUSEBIO.   *(Mira a todas partes, inquieto, se acerca a*
EUFEMIA *y baja la voz.)* Parece imposible que tú, que me
conoces…, que me has querido…, que me quieres…

EUFEMIA.   *(Retirándose.)* ¡No necesitas tomar precau-
ciones; habla claro y alto! No le conoces. Pero lo mejor
será que te vayas y me dejes…

EUSEBIO.   ¡Víctima de las convencionalidades! ¡Esclava
del mundo, que diría tu marido! [16]

EUFEMIA.   Es preferible aún esa esclavitud a…

[16] Corregimos de acuerdo con E., que en este caso parece mejor
lectura. A y AA. *qué diría tu marido!*

EUSEBIO.   Estoy seguro de que tendrás al cabo que dejarle...

EUFEMIA.   (Vivamente.) Tal vez; pero para quedarme sola.

EUSEBIO.   Sola..., sí, sola... ¡La soledad es un gran consejero!

EUFEMIA.   ¡Retírate, Satanás! [17]

EUSEBIO.   Todo se pega. Eso no es tuyo; es de él; lleva la marca de fábrica.

EUFEMIA.   ¿Crees que yo no sé hablar por cuenta propia?

EUSEBIO.   ¡Vamos, ésta es mi Eufemia!

EUFEMIA.   "Mi Eufemia"... ¿Qué es eso de tu Eufemia? ¡Soy mía..., mía..., y... suya!

EUSEBIO.   Te has contagiado, y te compadezco.

EUFEMIA.   ¡Vaya, basta! Estás en su casa. ¡Acabemos! ¿Tienes alguna recomendación que hacerme?

EUSEBIO.   No volveré a verte; por lo menos, mientras viva ése. Si le guardas alguna compasión, no le abandones. Pero dudo de tu heroísmo...

EUFEMIA.   ¡Basta! ¡Adiós, Eusebio!

EUSEBIO.   (Tendiéndole la mano.) ¡Última vez!

EUFEMIA.   (Rehusando dársela.) ¡No!

EUSEBIO.   ¿Ni eso?

EUFEMIA.   ¡Ni eso!

EUSEBIO.   Adiós, pues. (Desde la puerta, abriendo los brazos:) ¡Vendrás a ellos! (Se va.)

ESCENA V

EUFEMIA, sola.

¿Equivoqué mi senda? Realiza ensueños y sueña las realidades. Si pudiese hacerle otro... Soy para él un instrumento, y nada más... ¡No..., no...; me quiere, sí, me

---

[17] Otra frase del Evangelio. La dice Jesús en el episodio de las tentaciones según Mt., 4, 10.

quiere! ¡Qué alma tiene! Hay algo en él que fascina; es
un misterio vivo. He de intentar el último esfuerzo para
salvarle; ¡es mi obra! ¡Pobrecillo! Ahí viene...

ESCENA VI

ÁNGEL y EUFEMIA.

ÁNGEL.   *(Entrando.)* ¿Concluisteis ya de arreglar vues-
tras cuentas? Todo claro; es como me gusta. Ahora es preciso que las arreglemos nosotros, porque esto no puede
seguir así, Eufemia.

EUFEMIA.   De ti depende.

ÁNGEL.   ¿De mí? Mira: siéntate y óyeme con calma.
(Se sientan.) Tú no tienes alma de madre...

EUFEMIA.   *(Levantándose.)* ¡Buen principio!

ÁNGEL.   Siéntate y oye. ¡Pues no..., no la tienes!

EUFEMIA.   *(Intentando irse.)* A este paso...

ÁNGEL.   *(Reteniéndola.)* Si la tuvieses, la intensidad
misma de tu ansia te habría dado fe, y la fe crea...

EUFEMIA.   Pero, Ángel, por Dios... *(Se sienta con aire
de resignación.)* ¿Es que quieres acabar con mi paciencia?
¿Qué te pasa? Descúbrete de una vez; desnúdame tu alma;
da fin a este martirio...

ÁNGEL.   Mira, Eufemia: la fe crea su objeto... En fuerza de desear algo logramos sacarlo de la nada..., ¿no es
así? ¿Qué es Dios más que el deseo infinito, el supremo
anhelo de la Humanidad?

EUFEMIA.   *(Con dulzura.)* Pero ¿qué te pasa, Ángel,
qué te pasa? ¡Revienta de una vez..., ábreme tu pecho!

ÁNGEL.   ¿Qué me pasa? ¿Qué me pasa? ¿Lo sé yo mismo acaso? No, no tengo alma pura...; estoy expiando algún crimen de antes de que naciera... *(Fijándose en el retrato de su madre.)* ¿Ves ese cuadro? Parece que me mira
mi madre desde más allá de la tumba, desde el misterio
silencioso... ¿Qué hay allí? Es una obsesión, Eufemia, que
no me deja. Esa nada, esa nada terrible que se me presenta
en cuanto cierro los ojos... Es una oquedad inmensa...

¿Por qué me miras así? Perdóname si te hago sufrir, Eufemia... *(Cae a sus pies de rodillas.)* Así, así debíamos estar siempre los hombres...

EUFEMIA. *(Levantándole.)* Vamos, ven, cálmate; desecha esas aprensiones... ¡Distráete... haz algo!

ÁNGEL. ¡Distráete..., haz algo! Hacer algo es distraerse... No, no quiero hacer nada, porque es siempre mucho más grande que la ejecución el propósito. La acción, la expresión misma, empequeñecen la idea. Me bullen aquí *(Señalándose la cabeza)* mil cosas inefables, música pura, pero música silenciosa. Dime, Eufemia: ¿por qué no habrían de entenderse directamente las almas, en íntimo toque, y no a través de esta grosera corteza y por signos? Entonces sí que habría verdadero amor y no este miserable entregarnos uno a otro para poseernos. Todo sería de todos, y nada de nadie... El reino de Dios en la fusión de las almas en una. No, no quiero hacer nada. Apenas despierto se me desvanecen los ensueños más hermosos, y creo que la divina sabiduría está tan dentro de nosotros, tan dentro, que jamás llegaremos a ella... Ven acá. *(Cogiéndole una mano, que se la pone sobre el pecho, hacia el corazón.)* ¿Qué te dice?

EUFEMIA. *(Acariciándole como a un niño.)* ¡Pobre Ángel mío!

ÁNGEL. Así, sí, Eufemia, así... [18] Despierta en ti a la madre y tómame de hijo...

EUFEMIA. Iremos al campo, Ángel, y allí recobrarás tu salud perdida.

ÁNGEL. ¿Mi salud? ¿Cuál? ¿Qué salud?

EUFEMIA. ¡Aquiétate y ten fe en ti mismo, Ángel! No seas niño...

ÁNGEL. Que no sea niño... *(Levantándose.)* Noto, Eufemia, algo forzado en tus ternezas. Mejor que el que te cuides de mí y de mi estado es que pienses en ti misma, en la situación de tu espíritu...

EUFEMIA. La menor cosa te escuece...

---

[18] E. *Así, así, Eugenia, así*

ÁNGEL.   Sí, me siento como si despellejada el alma la tuviese en carne viva.

EUFEMIA.   *(Con blandura.)* Sosiégate; entra en razón y no nos hagas sufrir. Vamos a trazarnos un plan de vida que te sane. Y para que veas que no son mis aprensiones tan vanas y que ya tú presentías algo, voy a traerte una de las cartas que poco antes de nuestro enlace me escribiste...

ÁNGEL.   La conozco; no necesito verla...

EUFEMIA.   Pues yo quiero volvértela a leer. Y algo más puedo enseñarte...

ÁNGEL.   ¡Es inútil!

EUFEMIA.   No, no lo es. *(Se va.)*

ESCENA VII

ÁNGEL, solo, mirando al retrato, y luego, MARTINA.

ÁNGEL.   ¿Qué hay más allá, pobre madre? Esa mirada me persigue; es la mirada del misterio... Mejor será quitar de ahí cuanto antes esa imagen, ya que me basta con la que llevo siempre en el corazón. *(Llama.)* ¡Quién pudiese vivir vida de idiota, reír al sol, y morirse sin saberlo! ¡Oh sencillez, sencillez, cuanto más me esfuerzo por conseguirte, menos sencillo soy! [19]

MARTINA.   *(Entrando.)* ¿Llamaba?

ÁNGEL.   Sí; llamaba a la sencillez... y a ti. Quería que quitaseis de ahí ese cuadro...

MARTINA.   ¿El de su madre?

ÁNGEL.   Sí, ése.

MARTINA.   Si tuviese yo un retrato de la mía...

ÁNGEL.   *(Acercándose.)* ¿La viste morir?

MARTINA.   Sí, señorito.

ÁNGEL.   ¿Se te ha aparecido alguna vez en sueños?

MARTINA.   No diga usted esas cosas...

ÁNGEL.   *(Acariciándole la barbilla.)* Vamos, no seas

---

[19] Tema constante del *Diario* que está muy presente en estas escenas.

boba..., y no me hagas caso. *(En este momento aparece* Eufemia *con unas cartas en la mano, y se detiene.)* ¿La recuerdas mucho?

Martina.   ¡Ah! ¡La señorita!

ESCENA VIII

Ángel y Eufemia.

Eufemia.   ¡Bien, Ángel, bien! ¡Tú *(A* Martina), vete!

Ángel.   Mira: ésa apenas piensa. Su aspecto, su mirada, que es pura música...; toda ella me envuelve en atmósfera de paz...

Eufemia.   Es el caso, Ángel, que no me siento ya con vocación de enfermera. ¡Qué le he de hacer!

Ángel.   Me gusta verte así, tal y como eres.

Eufemia.   No te convengo. Carezco de sumisión para hacerme tu esclava sin reservas... ¡Un encanto de mujer! ¡Ya tienes quien te cuide...: un dechado de sencillez!

Ángel.   No cabe negar que tienes arte; pero nos equivocamos. Creo que ni tú eres para mí, ni para ti yo...

Eufemia.   ¡Gracias que te veo razonable!

Ángel.   ¿Cómo?

Eufemia.   Sí, que te veo como los demás; uno de tantos. ¡Debilidad del genio! Nada, nada; no hay hombre grande para su ayuda de cámara...

Ángel.   ¿Ayuda de cámara?

Eufemia.   Sí; es lo que te hace falta. ¡Puedes buscarlo..., digo buscarla!

Ángel.   ¿Es éste el plan que os habíais trazado?

Eufemia.   Conducta tan infame no merece...

(Llaman a la puerta.)

Ángel.   ¡Adelante!

Tía Ramona.   Ahí preguntan por Ángel sus amigos...

Eufemia.   Entiéndete con ellos. Conmigo has acabado. ¿Lo oyes? ¡Has acabado! *(A la* Tía Ramona.) ¡Que pasen!

ÁNGEL.   Pero si no hemos empezado aún..., si no me conoces... (EUFEMIA *se va.*) ¡Eufemia! ¡Eufemia!

(*La sigue* ÁNGEL, *pero en la puerta tropieza con* NICOLÁS, JOAQUÍN y TEODORO.)

ESCENA IX

ÁNGEL, JOAQUÍN, NICOLÁS y TEODORO.

JOAQUÍN.   (*Entrando.*) ¡Ángel!

ÁNGEL.   (*Intentando salir.*) ¡Déjame!

JOAQUÍN.   Bueno, te esperamos...

ÁNGEL. (*Entrando, en transición brusca.*) ¡Habla y acaba de una vez!

JOAQUÍN.   ¿Es que estorbamos? (*Silencio.*) Porque, en tal caso, nos iremos en seguida...

ÁNGEL.   ¡Despacha tu comisión!

JOAQUÍN.   Pero, hombre, esa carta, ¿no es posible? [20]

ÁNGEL.   (*Con displicencia.*) ¡Posible, no...; necesario ya!

NICOLÁS.   No sabes bien los comentarios que a ello se hacen... [21] ¡Qué comentarios! (ÁNGEL *se encoge de hombros.*) ¡Hay que tener honor! Y hemos venido...

TEODORO.   Yo no lo encuentro como éstos, y a pesar de la misión que nos trae, me ha parecido digna de usted la salida ésa. Es un rasgo personal por el que le felicito...

ÁNGEL.   A haber sabido lo de su felicitación, tal vez no lo habría hecho...

TEODORO.   Usted siempre tan humorista...

ÁNGEL.   ¡No me ponga usted motes!

JOAQUÍN.   (*A* TEODORO.) Déjate de comedias, y tú, Ángel, no seas así... A ver si lo arreglamos de algún modo...

ÁNGEL.   ¡Es que no lo quiero; alguna vez he de tener voluntad!

---

[20] E. *esa carta... ¡No es posible!*
[21] E. *que a ella se hacen*

NICOLÁS. Es lo que queremos: que tengas voluntad y
que no abandones así la causa del pueblo... ¡No basta tener talento: hay que saber aplicarlo!

ÁNGEL. ¿También tú, Nicolás; también tú te has aprendido la lección? ¡Buen chico!

JOAQUÍN. Déjate de farsas y sé hombre una vez siquiera...

ÁNGEL. Sé hombre..., sé hombre... ¡Vamos, sí, que sea
de una pieza!

JOAQUÍN. Todas tus murrias provienen de ociosidad...

NICOLÁS. Exacto. ¡De falta de acción!

JOAQUÍN. ¡Trabaja y te curarás!

ÁNGEL. ¡Basta! Me sé de memoria la canción del trabajo; maldición que cayó al hombre por haber querido hacerse como un dios. ¡Qué inmensidad de símbolo!

TEODORO. Más de una vez he pensado tomarlo de
tema...

ÁNGEL. ¡Sí, para echarlo a perder!

TEODORO. *(Con sorna.)* ¡Como usted quiera, maestro!

(En tanto hablan entre sí con calor JOAQUÍN *y*
NICOLÁS.*)*

ÁNGEL. ¡No, de usted no! Mi primer principio es tomarlo todo en serio, demasiado en serio acaso...

TEODORO. ¿Y quién le ha dicho a usted que todo eso
que usted, desde sus alturas, cree broma o frivolidad no es
lo más serio del mundo; que la vida misma no es una
broma?

ÁNGEL. Pesada con gentes como usted. ¡No tengo ganas
de discutir!

TEODORO. Es que...

JOAQUÍN. ¡Déjalo! Mira, Ángel: que la cosa es seria.
No seas egoísta ni soberbio. Sí, ésta es la palabra: soberbio.
¡Si sufres, aguántalo con virilidad!

NICOLÁS. La vida activa ahogará tus penas disipándo-
te todos esos fantasmas de la mente...

ÁNGEL. ¡Lo que me pedís es imposible..., imposible!
¡Ah, si pudiésemos asomarnos al brocal del alma del pró-

jimo! ¡Vosotros no sabéis lo que aquí dentro pasa! Necesito calma, reposo, sosiego, largas horas silenciosas conmigo
mismo; escarbar sin descanso en el fondo del alma hasta
descubrir el manantial de frescura que la riegue, el arroyo
de mi niñez...

TEODORO.   Muy bien, muy bien. Eso ya es otra cosa.
Estoy con usted. Lo primero es formarse uno, como decía
Goethe...

ÁNGEL.   Y usted lo repite...

TEODORO.   ¡Claro!

ÁNGEL.   ¡Vaya un mérito para Goethe!

TEODORO.   Y para mí.

ÁNGEL.   Necesito reposo y libertad, ¡mucha libertad!

JOAQUÍN.   Y huyes de contribuir a que la conquiste el
pueblo...

ÁNGEL.   ¡Eso no es libertad!

TEODORO.   También en esto conformo con usted, mal
que le pese. En la labor de emancipar al pueblo puede
sustituirle cualquier otro, y hasta con ventaja. En cambio,
si usted nos cuenta sus pesares y sabe expresar las tormen-
tas de su alma, podría legarnos una obra que nos eleve a
la vez que nos recree el espíritu...

ÁNGEL.   Siga usted, siga...

JOAQUÍN.   (A TEODORO, bajo.) Ahora sí; anda, tócale
en lo vivo, a ver si salta. ¡Prepáramelo!

TEODORO.   Hasta esas... esas... esas salidas que usted
tiene y que cuando a mí se dirigen, por venir de usted, en
vez de mortificarme me dan materia de observación y de
estudio...

ÁNGEL.   ¡Sí, que soy un caso! Siga usted, siga...

TEODORO.   Usted nació para poeta. Además, no hay
mejor medio de aliviar las penas que hacerlas pasar por el
crisol del arte.

NICOLÁS.   (A JOAQUÍN, aparte.) Nos lo va a echar a
perder.

TEODORO.   Su carta de usted ha sido, como acto, cosa
hermosa (Hace signos de que se aquiete y espere a JOAQUÍN,
que, a escondidas de ÁNGEL, le hace gestos de impacien-

cia), pero debió usted de cincelarla, sin fiarse demasiado de la espontaneidad.

Ángel.   ¡Basta! ¡Basta! ¡Basta!

Teodoro.   Es que...

Ángel.   ¡Es que no oigo más! (Joaquín *hace signos de contento.)* ¡Cállese usted!

Nicolás.   ¡Gracias a Dios!

Ángel.   ¡Imbéciles!

Teodoro.   El arte es el único consuelo de la vida..., por lo menos, para nosotros los imbéciles...

Ángel.   Arte..., arte... *(Se le acerca.)* Y cuando te mueras, ¿qué harás del arte?

Teodoro.   *(Encogiéndose de hombros.)* ¡Bah! Lo que hay que saber es lo que hará él de mí...

Ángel.   ¡Estos... artistas! *(Sorprende a* Teodoro *que hace señas a los otros tocándose con el dedo la frente.)* ¡Sí, que estoy loco! Loco..., loco... Sé que os canso a todos, que os aburro... ¡Lo que quiero es paz!... ¡Paz!... ¡Paz!...

Joaquín.   ¡No la encontrarás hasta la muerte!

Ángel.   ¡Pues morir entonces!

Nicolás.   ¡La vida es lucha!

Ángel.   Lucha..., ¿por qué? ¿Por qué? Dime: ¿por qué se lucha? ¿Qué es lo que en ese combate se gana? ¿Te callas?

Teodoro.   ¡La vida misma!

Ángel.   Es decir, luchar para vivir y vivir para luchar... ¡Terrible círculo!

Joaquín.   Hay que proponerse en la vida algún fin...

Ángel.   ¿Para qué, si el universo no le tiene?

Joaquín.   ¡Para dárselo!

Nicolás.   Hay que dar días de gloria a la patria...

Ángel.   La patria no necesita gloria. Lo que necesitan es felicidad sus hijos... ¡Gloria!... ¡Gloria!... ¡Indestructible aspiración a la eternidad! ¡Sombra de eternidad!

Joaquín.   Nada más humano que el deseo de dejar al morir algo nuestro que nos sobreviva...

Ángel.   ¡Nuestro..., mío..., mío no! ¿Cómo puede ser mía la gloria cuando yo no exista? ¡Sin mí no hay mío!

NICOLÁS. No hay que ser egoísta; hay que luchar por los demás.

ÁNGEL. No hay que...; hay que... ¡Todo preceptos! Y los demás, ¿no mueren?

NICOLÁS. ¡Por la verdad; por la belleza; por el bien!

ÁNGEL. ¡Verdad!... ¿Verdad de qué? ¿Qué belleza? ¿El bien de quién? Nunca os faltan nombres sonoros con que encubrir el vacío... ¡Vanidad de vanidades, y todo vanidad!... ¡Oh, déjame..., déjame...; no quiero morir..., no..., no quiero...

JOAQUÍN. Te he oído lo contrario otras veces...

ÁNGEL. ¡Es verdad; más de una vez me han dado intentos de acabar con mi vida, por terror a la muerte; de apurar de un trago el cáliz para consumir las heces; de ir a sumergirme en el misterio..., a ver qué hay allí!

TEODORO. ¡Puro intelectualismo!

ÁNGEL. ¡Ésa..., ésa es la tisis del alma!

JOAQUÍN. ¡Bueno..., basta, que te agitas demasiado! Con todas esas cavilaciones nada práctico has de resolver. Decide de una vez lo que hayas de llevar a cabo. Nuestros amigos esperan tu decisión última.

ÁNGEL. ¿No la he dado acaso?

JOAQUÍN. Ésa ha sido... una humorada, que, aunque con dificultad, admite enmienda. Mira que si abandonas la causa te tendrán por traidor...

ÁNGEL. Ah, ¿es eso? ¡Ahora sí que no voy!

JOAQUÍN. ¡Es mucha insensatez afrontar la nota de traidor...!

ÁNGEL. ¡No quiero serlo a mi conciencia!

NICOLÁS. Llevarás una vida miserable...

ÁNGEL. ¡No a mis ojos!

NICOLÁS. Y así nos dejas, a tus amigos, en la estacada..., a merced de Moreno y de su gente...

ÁNGEL. ¡Gracias a Dios que reventaste, Nicolás! ¡Siempre te he querido por sincero! ¡Gracias a Dios que has sido franco! Queréis mi apoyo, es decir, queréis valeros de mi nombre y de mi prestigio para aprovecharos de la libertad ésa... ¡Buen provecho os haga! Tengo que atender a mi salud. ¡Buscaos la vida!

Joaquín.   Ahora sí que descubres tú el verdadero fondo de tu espíritu, tu refinado egoísmo. ¡Por mi parte, renuncio a tu apoyo, y... hasta a tu amistad y trato!

Nicolás.   Hombre..., hombre...

Ángel.   Sí, déjale. Es mejor que cada cual siga su camino; vosotros el vuestro, el mío yo. Tal vez nos encontremos al final de la jornada...

Teodoro.   ¡En la madre Tierra!

Ángel.   ¡Muy bien, señor artista, muy bien! Y usted, ¿qué va buscando en la obra de la emancipación del pueblo? Emociones nuevas..., ¿no es así?

Teodoro.   Lo que he venido a buscar a esta visita...

Ángel.   Para tomarme de tema. ¿Cuánto le darán por el trabajo que yo le inspire? *(Se echa mano al bolsillo.)* ¿Lo quiere usted?

Teodoro.   Vaya, vámonos; que el gran hombre se sale de su papel. De lo sublime a lo ridículo no hay un paso. ¡Dejémosle solo con su pensamiento!

Ángel.   Es mi más discreto amigo.

Joaquín.   O tu peor enemigo...

Ángel.   Vamos a ver, ¿por qué he de ser como me queréis vosotros y no como yo me quiero?

Joaquín.   No merece amistad quien no la aprecia...

Ángel.   Pues libertadme de la vuestra, ¡apóstoles de la libertad!

Joaquín.   ¡En tal caso, hemos concluido, Ángel!

Nicolás.   Y yo...

Ángel.   ¡Sí, tú..., cállate y vete, y no vuelvas!

Nicolás.   ¡Calla tú..., déspota!

Joaquín.   ¡Queda... con Dios!

Ángel.   ¡Que Él me baste! *(Señalándoles la puerta.)* ¡Largo..., largo de mi casa!

Teodoro.   *(Desde la puerta.)* Aliviarse..., ¡y hasta la madre Tierra!

(Se van.)

ESCENA X

ÁNGEL, solo.

(Cuando se han ido ya sus amigos sale y llama:) ¡Joaquín! ¡Joaquín!… ¡No me oye! ¿Por qué le llamaré, cuando sé que no me oye? *(Volviendo al centro del escenario.)* Es preciso romper los lazos que me unen al mundo de miserias; tengo que olvidar como a un sueño a este pasado de muerte. Ahora cogeré a mi Eufemia y nos retiraremos a la soledad del campo…, a domarla y a domarme. ¡Ella lucha…, lucha como yo! Evocaré su espíritu de madre, ese espíritu que en toda mujer, aun cuando no sueñe, duerme; se lo evocaré haciéndome su hijo espiritual… Ella evocará a la mía. *(Mira al retrato.)* ¡Pobre madre! *(Va a la mesa y saca de un cajón un devocionario.)* ¡Éste fue…, éste! En estas páginas está la marca de sus dedos, de los que tantas veces enjugaron mis lágrimas; de los que oprimieron su pecho cuando yo me nutría de su jugo; de aquellos dedos que al morir se afilaron… Aquí posaron tus ojos, madre; tal vez tus labios *(Besa el libro)*; en estas páginas se apacentó tu alma… ¿Su alma? ¿Qué se habrá hecho de ella? *(Lo abre y lee:)* "Con dos alas se levanta el hombre de las cosas terrenas, que son sencillez y pureza." *(Cerrándolo.)* ¡Sencillez y pureza! ¡Es imposible, sí, imposible! No puedo ser ya sencillo. Mi mismo impulso a la sencillez, de sencillo nada tiene; nada de pura mi aspiración a la pureza… ¡Ah, si pudiera este libro darme el espíritu que dejó ella en sus páginas, al posar su mirada sencilla y pura!

(Entra la TÍA RAMONA.*)*

ÁNGEL.   ¿Qué hay? *(Esto lo dirá volviéndose, sobresaltado.)*

TÍA RAMONA.   Me ha encargado Eufemia que le entregue esta carta…

ÁNGEL.   Y ella, ¿dónde está?

Tía Ramona.   Se ha ido.

Ángel.   *(Acercándosele.)* Pero ¿adónde?..., ¿cómo?

Tía Ramona.   ¡Que se ha ido!

Ángel.   Sí, se lo he oído. Pero... ¿adónde?..., ¿cómo?

Tía Ramona.   Se ha ido, señor, se ha ido por no poder resistirle...

Ángel.   *(Como atontado.)* Se ha ido... ¡Ah, sí!... Que se ha ido. ¡Váyase usted también!

Tía Ramona.   En cuanto arregle ciertas cosas... *(Se va, y en la puerta:)* ¡Tirano!

Ángel.   *(Abre la carta y lee.)* "No debo retardar un momento más mi marcha, porque temo nuestras entrevistas. Has logrado tu objeto. Me voy dejándote libre, con esa libertad por la que tanto suspiras. Sé que perturbo el sosiego de que necesitas. Resuelve tu problema, mientras yo intentaré resolver el mío. Me voy a casa de tía Teresa, donde sé que no irás a molestarme. No somos el uno para el otro. Sigue tú tu camino, y el mío yo. No sé si en él te encontrarás con la que ha sido tu *Eufemia*." *(Aplanado.)* Ha sido..., ha sido..., ha sido... *(Volviendo a leer.)* "Te dejo libre, con esa libertad por la que tanto suspiras...; yo intentaré resolver el mío." ¡Su problema! Luego ella también lo tiene... ¡Sí, tiene su alma, como yo! ¡Libertad..., libertad..., libertad...! Solo..., solo..., solo... *(Se sienta, apoya la cabeza en las manos, y tras una pausa, extendiendo los brazos.)* Sociedad..., naturaleza..., tierra..., cielos..., mundos... ¡Qué grande todo! ¡Qué grande! ¡Qué inmensidad! Y yo perdido como una gota en este océano sin riberas... que me absorbe y anula... ¡Qué inmenso todo! Y yo solo..., solo..., sin poder arrancarme a mí mismo... ¡Hay que acabar de una vez! *(Va a un cajón, del que saca una caja de pistolas, y cuando toma una de éstas, se detiene al oír el piano del vecino que toca el "Pietà, Signore", de Stradella.)* ¡Oh, qué oleadas levantó en un tiempo en mi corazón ese canto! ¡Cómo se henchía a sus acentos! ¡Piedad, Señor!

(Cuando va a arrodillarse, entra Martina.*)*

ESCENA XI

ÁNGEL y PEPE.

MARTINA.   El señorito don José...

ÁNGEL.   ¿Pepe?

MARTINA.   Sí..., ¿qué le digo?

ÁNGEL.   ¡Que entre, sí..., que entre! *(Apenas sale* MAR-TINA *deja* ÁNGEL *la pistola sobre la mesa y se arrodilla, apoyando la cabeza en la mesa misma. Al entrar* PEPE *y ver aquello queda suspenso.)*

ÁNGEL.   ¿Qué hay?

PEPE.   No..., sigue..., sigue...; pero...

ÁNGEL.   *(Levantándose.)* ¿Qué hay, te pregunto?

PEPE.   *(Retrocediendo, entre temeroso y asombrado.)* Sentiría estorbarte...

ÁNGEL.   Sí, me estorbas...

PEPE.   Es que...

ÁNGEL.   ¿Qué hay?

PEPE.   Moreno...

ÁNGEL.   ¿Moreno? ¡Pues ahórrate el mensaje!

PEPE.   Por Dios, Ángel..., ¿qué pasa?

ÁNGEL.   Sí, por Dios..., por Dios, Pepe..., no me mar-tirices. *(Sollozando.)* Me ha dejado Eufemia...; se ha ido...

PEPE.   ¿Eufemia?

ÁNGEL.   Sí..., ella..., ella misma...

PEPE.   *(Abriéndole los brazos.)* ¡Pobre Ángel!

ÁNGEL.   *(Yendo a sus brazos y llorando:)* Tú eres bue-no..., tú... Estoy solo..., solo...

PEPE.   ¡Solo no! ¡Conmigo!

ÁNGEL.   Contigo... ¿Y por qué, siendo tú tan bueno, te despreciaré tanto, Pepe?

PEPE.   *(Separándose de él.)* ¿Tú? ¿Despreciarme? ¿A mí?

ÁNGEL.   *(Confundido.)* ¡Sí..., yo... a ti!

PEPE.   Pero, Ángel... *(*ÁNGEL *se le acerca, le coge una mano y se la besa.)* ¡Ángel! *(Intenta éste arrodillarse ante su amigo.)* No, no, levántate... ¡Ni tanto ni tan poco! *(*PEPE

*coge el sombrero y se dirige lentamente y cabizbajo hacia
la puerta.)*

ÁNGEL.   Solo..., sí, solo... Tú estás separado de mí
para siempre después de la confesión que acabo de hacerte... ¿Lo ves? ¡Te callas! (PEPE *sale.)* ¡Solo, no; contigo,
Dios mío! Y Dios, ¿dónde está? ¡Solo, por mi culpa! ¡Soberbio corazón! Querías la cima solitaria... ¡Ven, ven, y
llena la soledad de mi alma!

(Cae de rodillas y baja el telón.)

FIN DEL ACTO SEGUNDO

ACTO TERCERO

Estancia de casa modesta. A un lado, un balcón o ventana que da a la calle, y en otro, un sofá. En la pared, un cristo.

ESCENA PRIMERA

FELIPE y sus dos hijos, de seis y nueve años.

FELIPE. Y Dios les puso en aquel jardín hermosísimo para que lo cuidasen y trabajasen y se pasaran la vida bendiciendo al Señor. Sólo les prohibió que tocasen a un árbol: el árbol de la ciencia del bien y del mal...

NIÑO MAYOR. ¿Qué árbol es ése, papá?

FELIPE. Un árbol muy grande, muy grande y muy hermoso; que da mucha sombra, con unas frutas hermosas también, pero que tienen veneno... [22]

NIÑO MAYOR. Entonces se morirá el que las coma...

FELIPE. Sí, se muere. Por eso les prohibió comer de ellas; pero el demonio, que es muy astuto, se disfrazó de serpiente y fue a Eva y la engañó...

NIÑO MENOR. ¿Las serpientes hablan, papá?

FELIPE. Sí; hablan todas las cosas cuando Dios quiere. Le [23] engañó a Eva diciéndole que si comían de aquello serían dioses, y sabrían de todo...

---

[22] E. *tiene veneno*
[23] E. *La*

Niño Mayor.   ¿Cómo es ser dios, papá?

Felipe.   Pues eso: saberlo todo, todo, todo, y poderlo todo...

Niño Menor.   Y mandar más que todos, ¿no es verdad, papá?

Felipe.   Sí, hijo mío.

> *(Entra* Ángel *sin ser visto y se queda a la puerta, medio oculto.)*

Niño Menor.   Pues yo quiero ser dios, papá, para mandar más que todos...

Felipe.   No, hijo mío; no debes querer eso, y si no, ya ves lo que les pasó a Adán y Eva porque quisieron ser dioses...

Niño Mayor.   ¡Cuenta lo que les pasó!

Felipe.   Que la serpiente engañó a Eva y Eva a Adán, y comieron de la fruta del árbol de la ciencia para hacerse dioses, y Dios luego, enfadado con ellos porque eran desobedientes, llamó a Adán y éste se escondió porque tenía vergüenza de presentarse desnudo...

Niño Menor.   Estaba desnudo... ¡Qué risa!

Felipe.   Sí; pero no se había fijado en ello hasta que comió de la fruta prohibida. Y Dios les echó del jardín por desobedientes, y salieron llorando. Y les puso en la puerta un ángel con una espada de fuego...

Niño Menor.   Y la espada quemaría, ¿no es verdad, papá?

Niño Mayor.   ¡Qué tonto! Pues no oyes que era de fuego... [24]

Felipe.   No llames nunca tonto a tu hermano, que es un pecado muy grande; [25] ya te lo tengo dicho. Les echó Dios y les hizo trabajar para vivir...

---

[24] E. la frase entre interrogantes. Este relato pertenece al *Libro del Génesis,* desde 2, 15 hasta final del cap. 3.

[25] Alusión de nuevo al Evangelio, pasaje del sermón de la montaña, según Mt. 5, 22.

NIÑO MAYOR.   *(Que ha advertido a* ÁNGEL.*)* Papá, papá, don Ángel está ahí...

FELIPE.   *(Volviéndose.)* ¡Ah!

ESCENA II

DICHOS y ÁNGEL.

ÁNGEL.   *(Avanzando.)* No, sigue..., sigue tu relato, que con ser viejísimo es para mí siempre nuevo. Sigue, que yo me pondré entre los niños para escuchártelo...

NIÑO MAYOR.   Sí, cuenta, papá, y lo de Caín y Abel...

FELIPE.   No; id vosotros a jugar en el jardín y dejadnos...

ÁNGEL.   No, no..., que se queden los niños...

FELIPE.   No deben quedarse. Vaya, niños, un beso, y al jardín.

> *(Besan a su padre, y a* ÁNGEL *luego. Al coger éste al menor de ellos, dice:)*

ÁNGEL.   He aquí el enigma vivo... ¿qué será de él? ¡Ésta es la edad de la libertad, Felipe! Pronto se le abrirán los caminos de la vida; tendrá que elegir uno, uno solo, renunciando a todos los demás, y una vez elegido no podrá ya desandarlo. ¡El tiempo no se dobla ni revierte! ¡Terrible misterio, cuya cara tantas veces me desvela! Un beso, niño. ¿Qué me dices de Adán y Eva?

NIÑO MENOR.   Que les puso un ángel en la puerta, con una espada de fuego..., que quemaba...

ÁNGEL.   ¡Bien, hombre, bien! ¡Vete con Dios! ¡A jugar..., a vivir!

> *(Le besa, y se van los niños.)*

ESCENA III

ÁNGEL y FELIPE.

ÁNGEL.   *(Sentándose.)* Sí, Felipe; quiso el hombre ser dios, conocedor de la ciencia del bien y del mal, y así que la hubo probado, conoció, ante todo, su propia desnudez y se vio sujeto al trabajo y al progreso...

FELIPE.   Mira, ahí fuera se lucha, no sé bien por qué. ¿Cómo anda eso de la revolución?

ÁNGEL.   ¿Y qué nos importa? [26] Cuando estaba ahí, en la puerta, oyéndote, parecía subirme del fondo del alma el aroma vivificante de mi niñez... ¡Qué días aquéllos, Felipe!

FELIPE.   El niño que en nosotros todos duerme es la sal de nuestro espíritu, el justo que nos justifica...

ÁNGEL.   Tú sabes que tuve la fortuna de nacer en una aldea, rodeado de campo y de aire libre. Así es como pude, de niño, desarrollarme en una sociedad también niña, recibiendo en el fresco verdor de mi espíritu virgen la frescura de aquel lugarejo, transparente y claro si los hay...

FELIPE.   Hace mucho el poder librar a un niño de excesiva convivencia con los adultos...

ÁNGEL.   Aquí, en las honduras de mi alma, donde se llevan los puros aluviones de la aurora de la vida, aquí llevo siempre el reflejo de la lenta calma de la vida sin historia de mi nativa aldea.

FELIPE.   Parece que la estoy viendo...

ÁNGEL.   Y recordarás la escuela en que aprendí a leer, escribir y contar, y las viejas leyendas de los antiguos patriarcas y profetas. Tenía ventanas abiertas al campo libre. Al salir de ella íbamos los chicuelos a corretear por la campiña, atracándonos de luz y de aire libre, para caer dormidos como marmotas así que tocábamos el lecho...

---

[26] En ocasiones, el intento de ofrecer un contraste entre las actitudes opuestas llega a extremos difícilmente aceptables para el espectador.

FELIPE. ¡Estás evocando, Ángel, también el sueño de mi niñez!

ÁNGEL. Déjame que en él me empape. Cuando salí de la escuela me entregaron al señor cura para que me preparase al ingreso. ¡Pobre don Pascual! Su recuerdo encarna para mí el ámbito maternal de la pobre aldea en que se meció la niñez de mi alma. Su casa me inspiraba el mismo respeto que la iglesia; es más, me parecía una iglesia más íntima y más recogida. En la penumbra del gabinete en que me daba las lecciones olía siempre al incienso con que don Pascual sahumaba su hogar. Al pie de un viejo cristo de marfil, los mugrientos devocionarios y los raídos textos en que el viejo párroco había apacentado su espíritu sereno.

(Se oye fuera gritos de una turba que pasa gritando: "¡Viva la libertad!" "¡Vivaaa!" "¡Viva el pueblo!" "¡Vivaaa!" "¡Abajo los tiranos!" "¡Abajo!" "¡Viva Moreno!" "¡Vivaaa!")

FELIPE. Andan de revolución.

ÁNGEL. ¡Pobre gente!... Presumía de músico y tenía allí un viejo clavicordio en que muchas veces le encontré tocando. Y entonces solía quedarme a la puerta, como suspenso y enajenado en aquellos ecos que parecían purificar el ámbito y que, casados al perfume del incienso, me hacían ver en aquel hogar casto la concentración viva de los tranquilos siglos de mi aldea...

FELIPE. ¡Qué cuadro de libertad, Ángel, de verdadera libertad..., de libertad cristiana!

ÁNGEL. Acabada la lección, me acariciaba la barbilla el pobre don Pascual, diciéndome: "¡Conque a ser bueno, Ángel!" ¡Creíase obligado a darme consejos...; figúrate..., las simplezas de rigor! Pero el tono, la voz en que parecían vibrar ecos del clavicordio, el dulce reflejo de su cara pálida al dármelos, no lo olvidaré nunca..., ¡no, nunca! Y, después de todo, en los consejos, como en lo demás, es la música lo que da vida, no la letra. Aquí, Felipe, aquí dentro llevo aquel "¡Conque a ser bueno, Ángel...!" ¡A ser bueno..., a ser bueno...! *(Baja la cabeza y la apoya en las manos, llorando.)*

FELIPE. Vamos, Ángel, cálmate...; sí, eres bueno...

ÁNGEL. ¡Sólo Dios es bueno!

FELIPE. ¡Desecha esas aprensiones y vuelve a tu niñez!

ÁNGEL. Sí, hay que hacerse niño para entrar en el reino de los cielos. Pero tú sabes cómo me perdió la ciudad. A ella vine a devorar libros. [27] ¡Ah, mis primeros tiempos de ciudad! ¡Cuántas veces oculto en un rincón de la vieja catedral y vibrando cual débil junco a los sonidos del órgano me sumía en un mar de vaguedades! ¡Enjambres de larvas de ideas surgían en mi conciencia entonces como por ensalmo, y cual arrastradas de un viento por la pastosa y solemne voz del órgano formaban una nube que me cubría el espíritu y en que parecía palpitar pidiendo libertad un mundo entero...!

FELIPE. ¡Sí, la libertad que has de conquistar ahora; ahora que te has quedado solo..., solo con Dios!

ÁNGEL. ¡Cuántas veces, puesto de rodillas, me gozaba en el dolor de éstas, acabando por verter la energía de mi corazón en lágrimas silenciosas y lentas! Soñaba con ser santo, con tremendas penitencias o con un glorioso martirio, con místicos deliquios que apenas vislumbraba, acabando no pocas veces por soñarme emperador alzado en un campo de batalla. *(Se oye mucho ruido de gente que pasa por fuera.)* ¿Qué es eso?

FELIPE. Alguna turba que va al combate. Este es el camino del barrio Norte al Este...

ÁNGEL. ¿A qué molestarte con una historia que en cuanto no conoces adivinas? ¡Qué días aquellos en que vivía de fe! Pero siempre fue el mundo de mi fe un mundo exclusivamente mío; siempre me constituí en actor central de mis divinas comedias. Y en la edad en que empieza a

---

[27] Alusión al texto del Evangelio, probablemente Mt. 19, 14. La acción de su época en Madrid y el intento de racionalizar su fe ha sido contada varias veces por Unamuno. Véase el comentario de la Introducción y este testimonio personal, recientemente publicado: "Perdí la fe pensando mucho en el credo y en los dogmas, y tratando de racionalizarlos, de entenderlos de modo más racional y más sutil que el vulgo de los creyentes, que los sencillos." *Cartas íntimas*, ed. cit., p. 38.

cosquillear la carne, me cosquilleó el espíritu. El amor naciente fue fuerza intelectual en mí. Quise racionalizar mi fe. Tú sabes cómo me di a bucear en los más intrincados problemas, en los misterios más insondables, y cómo en la edad en que despierta en nuestra alma la humanidad eterna ansiaba abarcar bajo mi mirada al universo entero... Tú conoces los años de mi carrera...

FELIPE. ¡Sí, los conozco!

ÁNGEL. Tú sabes mis tristezas. Y ¡cómo me acompañaba durante ellas aquel "¡Conque a ser bueno, Ángel!" del pobre don Pascual!

FELIPE. No vuelvas demasiado tus ojos al pasado. Acuérdate de la mujer de Lot. [28] Mira hacia adelante, al porvenir, único reino de la salud...

ÁNGEL. ¡El porvenir! ¡El porvenir! ¿Qué habrá en él? Tú sabes que jamás me deja el terrible espectro de la nada; pero lo que no sabes es un suceso, no sé si providencial o extraño, que me ocurrió siendo niño. Escucha. Quise consultar mi porvenir, y una mañana, después de purificada mi conciencia y puesto de rodillas, abrí al azar los Evangelios y puse el dedo sobre aquellas palabras que dicen: "Id y predicad el Evangelio a todas las naciones." Quedé pensativo y sin decidirme; empecé a rumiarlo, y acordé pedir aclaración al Espíritu. Y otra mañana, con igual recogimiento y solemnidad, latiéndome el pecho, volví a abrir el texto para leer aquello que el ciego, curado, dijo a los fariseos: "Ya os lo dije y no me oísteis, ¿por qué queréis saberlo otra vez?" [29]

FELIPE. Es extraño...

ÁNGEL. Un peñasco, Felipe, un peñasco que se me hubiese venido encima no me habría producido tal efecto. Parecía ahogarme...

FELIPE. Es extraño, sí, es extraño...

ÁNGEL. Esas palabras, como aquellas otras de "¡Conque a ser bueno, Ángel!", no se me callan nunca..., nunca...

---

[28] Episodio de Sodoma y Gomorra en *Libro del Génesis*, 19, 26.
[29] Esta anécdota y su valor autobiográfico se comenta en la Introducción.

Sobre todo, desde que me casé. De mi matrimonio no hablemos; ha sido ella quien me lanzó a la vida pública, ella la que quiso emborracharme de gloria, ella, Eva, la que me ofrecía del árbol prohibido, y me deja..., me deja solo..., solo...

FELIPE.   ¡Solo... no!

ÁNGEL.   ¡Sí, solo! Y he pasado por lo más horrible: por creerme loco. Por lo menos lo fingía. Y todo... ¿por qué? ¿Por qué crees que lo hacía, Felipe? Por intrigar al prójimo; por hacerme el interesante; por aquello de que la locura y el genio..., ¡qué sé yo por qué! He vivido lleno de mí mismo..., en satánica soberbia...

FELIPE.   Sosiégate, Ángel, que exageras, dando ahora en la soberbia, que suele serlo, de menospreciarte...

ÁNGEL.   Tienes razón. Humillarse para ser ensalzado es refinada soberbia... ¿Y no hay acaso algo de satánico también en ponerse al borde del camino a hacerse centro del interés compasivo de los transeúntes mostrándoles el gangrenoso muñón? *(Se oye ruido de otra turba y gritos de "¡Viva la libertad!")* ¡Vivaa!... ¡Sí, libertad, libertad! ¡Santa libertad de ser como Dios me hizo y no como me quiere el mundo...; libertad! *(Se sienta, sollozando.)*

FELIPE.   Vamos, Ángel, cálmate...

ÁNGEL.   ¿Te acuerdas, Felipe, de un día en que tenías en brazos al mayor de tus hijos, enfermito entonces? El pobrecillo se acurrucaba en tu regazo y te decía: "¡Quiéreme, papá!" cada vez que apartabas de él tu vista. ¡Y así, al calor de tu pecho, al contacto de tus brazos, bajo tu mirada amorosa, se quedó dormido! ¡No pido más..., nada más! ¡Sólo quiero que el Padre invisible me coja en su regazo, sentir el calor de su inmenso pecho, el ritmo de su respiración, mirarme en su mirada, en ese cielo limpio y puro, y dormir en paz!

FELIPE.   ¡Conque a ser bueno, Ángel!

ÁNGEL.   *(Volviéndose, sobresaltado.)* ¡Ah, esa voz...! ¡No, no eres tú, Felipe...; sí, eres tú...!

FELIPE.   ¡A ser bueno, Ángel! *(Llaman a la puerta.)* ¿Quién será?

    (Sale a abrir y aparece JOAQUÍN.*)*

ESCENA IV

Dichos y Joaquín.

Ángel.   ¿Tú aquí?

Joaquín.   Sí, yo, a pesar de que me echaste de tu casa y renegaste de mi amistad. Yo, que vengo tal vez a salvarte...

Ángel.   ¿A salvarme?

Joaquín.   ¡Sí, a salvarte! El movimiento encuentra más resistencia de la que esperábamos; empieza a sonar la palabra traición, y como no es un secreto este tu refugio, puedes pasarlo mal...

Ángel.   Dios se acuerda de mí al cabo...

Joaquín.   Puede peligrar tu vida...

Ángel.   ¡Peor sería que peligrase mi muerte!

Joaquín.   ¡Siempre esa condenada obsesión de la muerte!

Ángel.   Es peor la de la vida...

Joaquín.   Ese pensamiento acabará por matarte en vida...

Ángel.   En él se diferencia del animal el hombre. Cuanto más se piensa en la muerte, más hombre se es...

Joaquín.   No seas loco, Ángel. ¡Sé hombre, sé viril! Piensa que todo en torno nuestro se renueva...

Ángel.   ¡Basta! ¡Todo eso son razones tan sólo; nada más que razones!

Joaquín   Es que...

Ángel.   ¡El descubrimiento de los microbios debe consolar mucho la muerte de los tísicos...!

Joaquín.   Pero enseñará a curarlos... Pero basta de divagaciones. Mira que peligras; que, además, Moreno...

Ángel.   ¡Pobrecillo!

Joaquín.   No sabes lo que me disgusta [30] tu manía de ver en todos tontos y no pillos... Rara vez odias: ¡desprecias!

[30] E. *lo que disgusta*

ÁNGEL.   Ni eso: ¡compadezco!

FELIPE.   Ojalá compadecieses de veras…

JOAQUÍN.   Pudiendo haber hecho tanto…

ÁNGEL.   ¿Por qué? ¿Por esta civilización con la que acabará la morfina?

JOAQUÍN.   ¡Aliviando la miseria ajena! Mientras haya quienes se mueren de hambre, todas esas cosas importan poco. Si hay Dios, Él verá lo que ha de hacer de nosotros; si no le hay…

FELIPE.   ¿Y si no le hay?

ÁNGEL.   Calla; no creéis más que en el hambre esa…, la del cuerpo…

JOAQUÍN.   ¡Es la verdadera…, la única!

ÁNGEL.   Tú no conoces otros sufrimientos…

JOAQUÍN.   Sí, sufrimientos de lujo…

ÁNGEL.   ¿De lujo?

JOAQUÍN.   De lujo, sí; que se te curarían si tuvieses seis bocas que te pidiesen pan y nada más que tus propias fuerzas para ganarlo. Lo primero es libertar a todos los hombres de la miseria corporal…

FELIPE.   ¿Para qué?

JOAQUÍN.   Para pensar luego en otra cosa. Tal vez lo que éste sufre sea efecto de la miseria vulgar, del hambre de alguno de sus bisabuelos…

FELIPE.   Sutilezas…

JOAQUÍN.   Sutilezas las que usted le inculca…

(En este momento llaman precipitadamente. Sale FELIPE *a abrir y entra* NICOLÁS.*)*

ESCENA V

DICHOS y NICOLÁS.

NICOLÁS.   ¡Ángel, huye, huye pronto! ¡Ponte en salvo!

ÁNGEL.   ¡En salvo…, de eso trato, de ponerme en salvo! Tú aquí…

NICOLÁS. Sí, yo, a pesar de todo. ¡Viene un pelotón grande de gente en busca tuyo..., del traidor! El golpe, que parecía seguro, ha marrado en parte. No sé de dónde han sacado tantas tropas esos bandidos... *(Se oyen a lo lejos cañonazos.)* ¿No oyes? Piden a voces que se te arrastre...

ÁNGEL. ¡Pues que me arrastren!

FELIPE. ¡Ten prudencia, Ángel!

JOAQUÍN. Eso antes..., antes...

ÁNGEL. ¡Que venga!

NICOLÁS. *(Cogiéndole.)* ¡Que venga... no! Tú tienes que venirte con nosotros..., huir...

FELIPE. Te esconderemos...

ÁNGEL. ¿Esconderme? ¿Como Adán cuando le llamó Dios? No siento vergüenza de presentarme desnudo al pueblo.

> *(Se levanta, se sienta, vuelve a levantarse* [31] *y acciona solo mientras los otros hablan.* NICOLÁS *se asoma de cuando en cuando a la ventana.)*

JOAQUÍN. ¡Ángel! Aún tienes tiempo...; el último momento..., el que no vuelve... ¡Aprovéchalo! Vuelve en ti; sé una vez siquiera hombre natural..., humano... Arroja de ti esa egoísta voluptuosidad de la tristeza... La acción...

ÁNGEL. *(Irguiéndose.)* ¡Ea, sí, vamos!

NICOLÁS. ¡A huir, pero pronto!

ÁNGEL. ¡No, a huir no! ¡A ponerme al frente de ellos para encauzarlos; a impedir mayores males, a morir en la barricada! Es una cobardía recogerse así...

---

[31] A. *Se levanta, se sienta, vuelve a sentarse.* Parece errata, pero las enmiendas de las demás ediciones tampoco son plenamente convincentes. E. *Se sienta, se levanta, vuelve a sentarse;* AA. *Se sienta, vuelve a sentarse.* Puede aceptarse lógicamente la corrección de E. La que aquí proponemos tiene su razón en la acotación de la escena III, referida a Ángel: *Se sienta, sollozando,* que no es cambiada hasta este momento, aunque también resulta extraño que no se mueva del asiento con la llegada de Joaquín y de Nicolás. Y también parece que ese accionar solo que se indica tiene mejor acomodo de pie que sentado.

FELIPE.   Pero, Ángel, ¿te has vuelto loco?

ÁNGEL.   Creo haberlo estado hasta ahora. Vosotros tenéis razón. ¡Vamos…, a ellos…, a la fiera! ¡A salvarlos!

FELIPE.   ¿Y si te pierdes?

ÁNGEL.   ¡No es posible perderse salvando a los demás!

NICOLÁS.   (Cogiéndole.) ¡Éste es nuestro Ángel! ¡Resucita! Aún puedes inflamarles con tu palabra…, darles fuerzas…, salvarnos. (Se oyen cañonazos lejanos.) ¡A ahogarlos!

FELIPE.   ¡Sólo Dios salva! ¡El triunfo te agrandará la nada!

ÁNGEL.   (Acercándose a FELIPE y cruzándose de brazos ante él.) La nada…, la nada…; pero ¿qué he de hacer?

FELIPE.   (Con calma.) Ya te lo he dicho y no me has oído. ¿Por qué lo quieres saber otra vez?

ÁNGEL.   (Dejando caer los brazos y en actitud abatida.) ¡Oh Dios mío…, Dios mío…! ¿Hasta cuándo?… (Solloza.)

JOAQUÍN.   Pero qué es eso…, ¡decídete! (Se asoma a la ventana al oír rumor de turba que se acerca.) ¡Ya no hay tiempo que perder…; están ahí cerca…, ahí vienen… Ángel! ¡Ángel!, ¿no oyes?

ÁNGEL.   (Como volviendo en sí.) No voy, no, no debo…, no puedo…, no quiero ir. Pero sí me asomaré a decirles cuatro palabras de corazón, ¿verdad, Felipe?

FELIPE.   ¡Ten valor y calma!

> (Se oye por de fuera gritería y voces de "¡Abajo los traidores!" "¡Mueran los vendidos!" "¡Abajo!" "¡Mueran!")

JOAQUÍN.   ¿Y qué hacemos?

FELIPE.   ¿Qué hemos de hacer? Atrancar las puertas y ponernos en manos de la providencia…

> (ÁNGEL se acerca a la ventana mientras se oyen gritos y mueras y algunas pedradas. Cae roto algún cristal.)

FELIPE.   (Precipitándose fuera por la puerta que lleva al jardín.) Los niños… ¡Dios mío! ¡Los niños…!

NICOLÁS.   *(Adelantándose a* ÁNGEL.) ¡Retírate; no seas loco.

ÁNGEL.   *(Dándole un fuerte empellón.)* ¡Déjame con ellos!

> *(Abre la ventana a tiempo que se oye un "¡Viva la libertad!" "¡Vivaaa!" Suenan voces de "¡Hipócrita!" "¡Traidor!", y pedradas. Cae de nuevo algún cristal.)*

NICOLÁS.   ¡Por Dios, Ángel, por Dios! *(Saca una pistola.)*

JOAQUÍN.   ¡Decididamente: está loco!

ÁNGEL.   *(Dirigiéndose al pueblo)* Sí, ¡viva la libertad! *(El tumulto va encalmándose y convirtiéndose en un sordo rumor.)* ¡Viva la libertad!, que es la vida. Os lo digo también yo..., la santa libertad..., el alma del mundo..., el espíritu de la idea... Pero cuán pocos, hijos míos... *(Voces de "¡Fuera el sermón!" "¡Mueran los traidores!" "¡Silencio!" "¡Que calle" "¡Que hable!"),* cuán pocos llegan al seno de la libertad misma... Pedís libertad y venís a quitármela; no queréis que sea como soy... ¡Libertad! *(Una voz: "¡Que calle el traidor!")* ¿Traidor? ¿Sabéis lo que es traición acaso? *(Se reproduce el tumulto y voces de "¡Que calle!" "¡Muera!" Aparece* FELIPE *con los niños a su arrimo y éstos quedan como aterrados en un rincón durante el resto de la escena.)* No, no callaré mientras tenga vida en el pecho...; no debo callarme porque soy palabra...; callarme es morir, y no quiero morirme, no moriré... Sois unos cobardes... *(El tumulto crece; arrecian las pedradas y suena un tiro.* ÁNGEL *se desvanece y se apoya.)* Sí..., cobardes..., cobardes...

> *(Cae al suelo.* FELIPE, JOAQUÍN *y* NICOLÁS *se precipitan a él mientras va cesando el tumulto.)*

FELIPE.   ¡Le han muerto, Dios mío!

NIÑO MENOR.   *(Al mayor.)* [32] ¡Le han matado!

---

[32] A. *(Al morir).* Parece errata que corregimos con E.

NICOLÁS.   Un médico…, agua…, una cama…
JOAQUÍN.   Allí…, allí…, a aquel sofá…

   (Le cogen para llevarle al sofá.)

FELIPE.   Vive; tal vez no sea nada…
NICOLÁS.   ¡Fricciones!
JOAQUÍN.   No…; primero veamos lo que ha sido…
NICOLÁS.   ¡Canallas! ¡Cobardes! ¡Y se han ido! ¡Ya no gritan…!

   (Le colocan en el sofá.)

JOAQUÍN.   ¡Abrigarle!

   (Va FELIPE *a buscar una manta y de paso se coge a los niños y se los lleva. Éstos vuelven la cabeza a ver lo que pasa.)*

ÁNGEL.   *(Con voz débil; volviendo en sí.)* Sí…, libertad…, libertad…
JOAQUÍN.   ¡Calla y no hables!
FELIPE.   *(Volviendo con la manta y abrigándole con ella.)* ¡Cállate y descansa!
ÁNGEL.   ¡Ella…! ¡Ella…!
JOAQUÍN.   ¿Qué dices?
ÁNGEL.   ¡Ella…; ahí está!

   (Se oyen golpes violentos a la puerta.)

NICOLÁS.   ¿Abro?
JOAQUÍN.   ¡No!

ESCENA VI

DICHOS, EUFEMIA, EUSEBIO y la TÍA RAMONA.

EUFEMIA.   *(Desde fuera.)* ¡Abran…, ábranme pronto…, pronto…, Ángel!

ÁNGEL.   Su voz...
JOAQUÍN.   ¿Y ahora?

(FELIPE *va a abrir y se precipitan* EUFEMIA y
EUSEBIO.)

EUFEMIA.   *(Registra con la mirada toda la estancia y al
ver a* ÁNGEL *tendido en el sofá corre a él, gritando:)* ¡Ángel, Ángel mío!

(EUSEBIO *se queda atrás.)*

ÁNGEL.   ¿Tú..., tú...; tú aquí...?
EUFEMIA.   ¡Sí..., yo..., yo..., tu Eufemia!
ÁNGEL.   ¿Tú...? ¿Cómo?
EUFEMIA.   *(Le palpa, le introduce una mano en el seno,
la saca y mira, y al ver sangre en ella se desvanece, gritando:)* ¡Sangre, Dios mío, sangre! ¡Ángel!
ÁNGEL.   La sangre redime... *(La* TÍA RAMONA *en tanto
le atiende, pide una almohada, que se la coloca bajo la cabeza; le prepara agua.)* ¡Agua!
TÍA RAMONA.   Aquí está.
ÁNGEL.   Si volviese a nacer..., si volviese a nacer... ¡La
vida, me mata la vida; bendita sea!
JOAQUÍN.   Así, así...; eso es recibir con dignidad a la
muerte.
EUFEMIA.   *(Volviendo en sí.)* La muerte no..., no...
ÁNGEL.   ¿Qué quiere decir la muerte?
JOAQUÍN.   ¡Vida!
ÁNGEL.   Si volviese a nacer..., si volviese a nacer..., si
fuese otro...
EUFEMIA.   ¡Otro... no!
JOAQUÍN.   Haz cuenta que lo eres.
ÁNGEL.   Sí, otros son como yo...; la vida vive..., y yo
no soy nada.
JOAQUÍN.   Pero la vida es todo.
ÁNGEL.   La vida..., la vida..., ¿qué quiere decir la vida?
FELIPE.   ¡Muerte!
ÁNGEL.   ¡Bendita sea la muerte!

EUFEMIA.   ¡No, Ángel mío, no, muerte no..., vida! ¡Iremos al campo..., perdóname..., hijo mío! *(Volviendo en sí y arrodillándose ante su marido:)* ¡Ángel! ¡Ángel mío! ¡Perdóname!

ÁNGEL.   No, perdón tú..., tú... Me entregaste tu vida...

EUFEMIA.   ¡Hijo mío!

ÁNGEL.   ¡Así..., así..., Eufemia..., así..., hijo..., hijo tuyo! ¿No querías ser madre? Y me tenías a mí, al niño de siempre..., a tu hijo..., a tu hijo enfermo... *(Siente ahogos.)* ¡Ya te he hecho madre..., mira el poder de la muerte...!

EUFEMIA.   *(Cubriéndose la cara.)* ¡Oh, no..., no...; la muerte no..., no..., no...! [33]

ÁNGEL.   ¿También tú tiemblas ante la muerte, madrecita? ¿Y más allá?

EUFEMIA.   Calla, por Dios, Ángel; calla y vive...; no..., no quiero que te mueras..., y no morirás. *(Le abraza.)*

ÁNGEL.   Joaquín, Nicolás, acercaos. Dame la mano, Nicolás, tú primero...

NICOLÁS.   *(Dándosela.)* ¿Qué quieres?

ÁNGEL.   *(Tomándosela.)* Libertad...; la libertad está en ser humilde..., humilde de corazón, no con los labios... *(Le besa la mano.)*

NICOLÁS.   *(Emocionado.)* ¡Por Dios, Ángel! ¿Qué haces?

ÁNGEL.   He querido hacer de vosotros, mis amigos, un comentario a mí: vosotros satélites, y el astro yo...; no he querido que os manifestarais... Y también vosotros tenéis vuestra alma, tan alma como la mía...

FELIPE.   ¡Ángel!

ÁNGEL.   Sí, te entiendo... Haz lo que quieras.

(Sale FELIPE.)

EUSEBIO.   ¡Vamos, calla!

ÁNGEL.   Calla..., calla...; pronto callaré para siempre..., y callarán también todas las cosas a mis oídos... ¡Conque a

[33] E. *la muerte no..., no...!*

ser bueno, Ángel!..., a ser bueno... Ya os lo dije y no me
oísteis. ¿Por qué queréis saberlo otra vez?... Mira..., mira
a la puerta el ángel con la espada de fuego, que quema...

NICOLÁS.   Parece que delira...

ÁNGEL.   Eufemia, ¿te lleva Pegaso?...

EUFEMIA.   Estoy aquí, contigo, Ángel... ¡Ángel mío!

ÁNGEL.   Ángel..., Ángel... ¿Quién es Ángel? Se va a
acabar el mundo... Mira, mira cómo se derrite... Ciego,
sordo, mudo, perlático, insensible...; dormido, dormido
para siempre... ¿Dónde estás, Dios mío? ¡Detente, pueblo!,
¡no le atropelles! ¡Soy yo..., yo..., yo..., tu Ángel...! Yo...,
yo... Que me quiten de encima este yo, que me sofoca.
(Le da un vahído.)

EUFEMIA.   ¡Eusebio! ¡Eusebio, sálvale!

EUSEBIO.   No hay salvación.

EUFEMIA.   Entonces, ¿para qué eres hombre?

ÁNGEL.   ¿Gloria...? ¿Gloria...?

EUFEMIA.   ¿A quién llamas, Ángel?

ÁNGEL.   ¡Ah! ¿Estabas ahí?... No te veo... Ven...
Acércate..., dame la mano... ¿Y la gloria, madre, qué es
de la gloria?

EUFEMIA.   Calla, por Dios, Ángel.

ÁNGEL.   Cántame el canto de cuna para el sueño que
no acaba...; arrulla mi agonía, que viene cerca...; reza
por mí, por ti, por todos... *(Entra* FELIPE.*)* Reza..., reza...,
a ver si cuajando nuestras oraciones nos abren una gloria,
pero una gloria de sustancia, celestial y eterna..., de las almas; no terrestre y pasajera..., no de los nombres... ¡Sí,
sí, llora..., llora... y reza! [34] *(Fijándose en el cristo.)* Mira,
mira cómo en su agonía me abre los brazos mientras le
sangra el pecho...; es el divino abrazo del amor y la muerte...: el abrazo de paz en la agonía... Con justicia muero...; es el pago merecido a mi soberbia...; pero tú, Maestro de humildad, nada malo hiciste para merecer la muer-

---

[34] E. *¡Sí, sí, llora... y reza!*

te... Señor, acuérdate de mí en tu reino... [35] ¡Paz!...
¡Paz!... ¡Paz!... *(Le da un vahído.)*

EUFEMIA. ¡Hijo de mi alma! *(Se abraza a él, llorando.)*
EUSEBIO. ¡Apenas oye ya!
JOAQUÍN. Quién sabe...
NICOLÁS. ¡Maldita revolución!
FELIPE. ¡Dios le dé paz!

[FIN DE «LA ESFINGE»]

[35] Nueva referencia, ahora seria, a las palabras del Buen Ladrón
en el Calvario, que Ángel hace suyas, según el Evangelio de Lucas, 23, 41-42.

LA VENDA

Drama en un acto y dos cuadros

PERSONAJES [1]

<table>
<tr><td>Don Pedro</td><td>El Padre</td></tr>
<tr><td>Don Juan</td><td>Marta</td></tr>
<tr><td>María</td><td>José</td></tr>
<tr><td>Señora Eugenia</td><td>Criada</td></tr>
</table>

[1] En LP falta el elenco de personajes. Los incluimos según las restantes eds. En el ms. aparecen relacionados así:

<table>
<tr><td>El Padre</td><td>la criada de María</td></tr>
<tr><td>María ⎱ sus hijas
Marta ⎰</td><td>Don Pedro
Don Juan</td></tr>
<tr><td>José, marido de María</td><td>Señora Engracia</td></tr>
</table>

Y entre paréntesis, con otra tinta, junto a El Padre (Eterno), y junto a las hijas: María (la Fe) y Marta (la Razón).

CUADRO PRIMERO [2]

En una calle de una vieja ciudad provinciana. [3]

DON PEDRO. ¡Pues lo dicho, no, nada de ilusiones! Al pueblo debemos darle siempre la verdad, toda la verdad, la pura verdad, y sea luego lo que fuere. [4]

DON JUAN. ¿Y si la verdad le mata y la ilusión le vivifica? [5]

DON PEDRO. Aun así. El que a manos de la verdad muere, bien muerto está, créemelo. [6]

DON JUAN. Pero es que hay que vivir...

DON PEDRO. ¡Para conocer la verdad y servirla! La verdad es vida. [7]

DON JUAN. Digamos más bien: la vida es verdad. [8]

DON PEDRO. Mira, Juan, que estás jugando con las palabras... [9]

DON JUAN. Y con los sentimientos tú, Pedro. [10]

[2] Ms. I / Cuadro primero. E. ACTO ÚNICO / Cuadro Primero
[3] Ms. *Una calle de una vieja ciudad. / Escena 1. / Aparecen D. Pedro y D. Juan, dos visitantes de la ciudad, recorriéndola.*
[4] Ms. *Lo dicho; nada de ilusiones! Al pueblo la verdad siempre, toda la verdad, la pura verdad, y luego sea lo que fuere.*
[5] Ms. *Y si la verdad le mata y le da vida la ilusión?*
[6] Ms. *El que bajo la verdad muere.* Termina la frase: *créemelo, Pedro* (y tachado el nombre).
[7] Ms. *Para conocer y servir la verdad, que es vida.*
[8] Ms. *Di más bien que la vida es verdad.*
[9] Ms. *que juegas*
[10] Ms. *y con los conceptos*

Don Pedro.   ¿Para qué se nos dio la razón, dime? [11]

Don Juan.   Tal vez para luchar contra ella y así merecer la vida... [12]

Don Pedro.   ¡Qué enormidad! No, sino más bien para luchar en la vida y así merecer la verdad.

Don Juan.   ¡Qué atrocidad! Tal vez nos sucede con la verdad lo que, según las Sagradas Letras, nos sucede con Dios, y es que quien le ve se muere...

Don Pedro.   ¡Qué hermosa muerte! ¡Morir de haber visto la verdad! ¿Puede apetecerse otra cosa? [13]

Don Juan.   ¡La fe, la fe es la que nos da vida, por la fe vivimos, la fe nos da el sentido de la vida, nos da a Dios! [14]

Don Pedro.   Se vive por la razón, amigo Juan, la razón nos revela el secreto del mundo, la razón nos hace obrar... [15]

Don Juan.   *(Reparando en María.)* ¿Qué le pasará a esa mujer?

> *(Se acerca* María *como despavorida y quien no sabe dónde anda. Las manos extendidas palpando el aire.)* [16]

María.   ¡Un bastón, por favor! Lo olvidé en casa. [17]

---

[11] Ms. *Se nos dio la razón para buscar la verdad y servirla.*

[12] Ms. D. Juan.—*No, sino para buscarnos la vida... Y acaso ocurra con la verdad lo que las Sagradas Letras dicen que nos sucede con Dios; y es que quien le ve se muere...* (tachado *se*; al margen, *ojo.*). Réplica única en lugar de las siguientes del texto. Importante referencia a *Éxodo*, 19, comentada en la Introducción.

[13] Ms. *Hermosa muerte morir de haber visto la verdad!* En LP, *morir* y *puede,* minúsculas.

[14] Ms. *La fe, Pedro, la fe...* A. *vida;*

[15] Ms. *La razón, Juan, la razón...* A. *amigo Juan;*

[16] Ms. escena 2. / *Entra María como despavorida, mirando a los lados como quien no sabe dónde está y extendiendo los brazos.* A. *extendidas,*

[17] Ms. *Un bastón, por Dios! que lo olvidé en casa.* (Tachado *un bastón* y encima: *un cayado*).

DON JUAN. ¿Un bastón? ¡Ahí va! *(Se lo da. María lo coge.)* [18]

MARÍA. ¿Dónde estoy? *(Mira en derredor.)* ¿Cuál es el camino? Estoy perdida. ¿Qué es esto? ¿Cuál es el camino? Tome, tome; espere. *(Le devuelve el bastón.)*

        (MARÍA *saca un pañuelo, y se venda con él los ojos.)* [19]

DON PEDRO. Pero ¿qué está usted haciendo, [20] mujer de Dios?

MARÍA. Es para mejor ver [21] el camino.

DON PEDRO. ¿Para mejor ver el camino taparse los ojos? ¡Pues no lo comprendo! [22]

MARÍA. ¡Usted no, pero yo sí! [23]

DON PEDRO. *(A Don Juan, aparte.)* Parece loca. [24]

MARÍA. ¿Loca? ¡No, no! Acaso no fuera peor. [25] ¡Oh, qué desgracia, Dios mío, qué desgracia! ¡Pobre padre! ¡Pobre padre! Vaya, adiós y dispénsenme. [26]

DON PEDRO. *(A Don Juan.)* Lo dicho, loca.

DON JUAN. *(Deteniéndola.)* [27] Pero ¿qué le pasa, buena mujer?

---

[18] Ms. *Un bastón? (alargándole el suyo) Ahí va!*

[19] Ms. *María.—(después de tomarlo) Pero... dónde estoy? Cuál es mi camino? Estoy perdida. Qué es esto? Y mi camino? Tome, tome, (devolviéndole el bastón) voy a ver... (saca un pañuelo y se venda con él los ojos) Así; ahora sí; venga el bastón!*

[20] Ms. *... qué es lo que hace usted...* (Corregimos la puntuación como A.)

[21] Ms. *ver mejor*

[22] Ms. *Para ver el camino... No lo comprendo.*

[23] Ms. *usted no; yo sí*

[24] Ms. Tachado: D. P. *(a Don Juan aparte)* Y en otra línea: D. P.—*(a Don Juan mientras se señala la frente con el dedo) Acaso...*

[25] Ms. *tal vez fuera mejor*

[26] Ms. *Qué desgracia, Dios mío! (se dispone a irse tocando con el bastón los muros de las casas)* Falta el resto de la réplica de María y la siguiente de D. Pedro.

[27] Ms. *(intentando detenerla)* Corregimos la puntuación como A.

MARÍA. *(Vendada ya.)* Deme ahora el bastón y dispénsenme.

DON JUAN.   Pero antes explíquese... [28]

MARÍA. *(Tomando el bastón.)* Dejémonos de explicaciones que se muere mi padre. Adiós. Dispénsenme. *(Lo toma.)* Mi pobre padre se está muriendo y quiero verle; quiero verle antes de que se muera. ¡Pobre padre! ¡Pobre padre! *(Toca con el bastón en los muros de las casas y parte.)* [29]

DON PEDRO. *(Adelantándose.)* Hay que detenerla; se va a matar. ¿Dónde irá así? [30]

DON JUAN. *(Deteniéndole.)* [31] Esperemos a ver. Mira qué segura va, [32] con qué paso tan firme. ¡Extraña locura!...

DON PEDRO.   Pero si es que está loca... [33]

DON JUAN.   Aunque así sea. ¿Piensas con detenerla, curarla? ¡Déjala! [34]

DON PEDRO. *(A la señora Eugenia, que pasa.)* Loca, ¿no es verdad? [35]

SEÑORA EUGENIA.   ¿Loca? No; ciega.

DON PEDRO.   Ciega. [36]

SEÑORA EUGENIA.   Ciega, sí. Recorre así, con su bastón, la ciudad toda y jamás se pierde. Conoce sus callejas y rincones todos. Se casó hará cosa de un año y casi todos

---

[28] Ms. faltan las dos últimas frases de María y D. Juan.

[29] Ms. *Ahorrenme explicaciones que mi pobre padre se muere y voy a verle. Quiero verle, verle, antes que se me muera Pobre padre! (Se va).* A. antes que se muera.

[30] Ms. escena 3. / D. P.—*(haciendo además de adelantarse a detenerla) No puede ser; esta pobre loca se va a matar. Hay que impedirlo.*

[31] Ms. *(deteniendo a su amigo)*

[32] Ms. *con qué seguridad anda*

[33] Ms. *está de veras loca*

[34] Ms. D. J.—*Piensas curarla con detenerla? Déjala.*

[35] Ms. escena 4. / *Dichos y la Sra. Eugenia* (Tachado y encima: *Engracia*)

D.P.—*(a la Sra. Eugenia que pasa, indicándole a lo lejos a María) Loca, eh?*

[36] Ms. y A. *ciega?*

los días va a ver a su padre, que vive en un barrio de las afueras. Pero ¿es que ustedes no son de la ciudad? [37]

DON JUAN.   No, señora, somos forasteros. [38]

SEÑORA EUGENIA.   Bien se conoce.

DON JUAN.   Pero diga, buena mujer, si es ciega, ¿para qué se venda así los ojos? [39]

SEÑORA EUGENIA.   *(Encogiéndose de hombros.)* Pues si he de decirles a ustedes la verdad, no lo sé. Es la primera vez que le veo hacerlo. [40] Acaso la luz le ofenda…

DON JUAN.   ¿Si no ve, cómo va a dañarle la luz? [41]

DON PEDRO.   Puede la luz dañar a los ciegos… [42]

DON JUAN.   ¡Más nos daña a los que vemos! [43]

> *(La criada saliendo de la casa y dirigiéndose a la señora* EUGENIA*.)* [44]

CRIADA.   ¿Ha visto a mi señorita, señora Eugenia?

SEÑORA EUGENIA.   Sí, por allá abajo va. [45] Debe de estar ya en la calle del Crucero.

CRIADA.   ¡Qué compromiso, Dios mío, qué compromiso!

DON PEDRO.   *(A la criada.)* Pero dime, muchacha, ¿tu señora está ciega? [46]

CRIADA.   No, señor, lo estaba. [47]

---

[37] Ms. *Recorre con su bastón, como la ven, la ciudad toda sin jamás perderse en ella. Conoce a maravilla…*
y casi a diario…
a su padre, muy viejecito ya, que habita…
Pero es que no son de la ciudad ustedes?

[38] Ms. D. J.—*Forasteros*

[39] Ms. *…si es, como usted dice, ciega, para qué se venda los ojos?*

[40] Ms. *que le veo hacer tal cosa.*

[41] Ms. D. J.—*La luz? ofender? y a un ciego?*

[42] Ms. D. P.—*Oh, puede…*

[43] Ms. omite: *nos daña*

[44] Ms. escena 5. / *Dichos y la criada de María.*
criada- *(dirigiéndose a la Sra. Eugenia) Ha visto a mi señorita, Sra. Eugenia?* (Tachado: *mi señorita*, y encima: *María*).

[45] Ms. *Sí, allá abajo va…*

[46] Ms. *Pero veamos, muchacha, tu señora es ciega?*

[47] Ms. *… lo era*

Don Pedro.   ¿Cómo que lo estaba? [48]

Criada.   Sí, ahora ve ya. [49]

Señora Eugenia.   ¿Que ve?... ¿Cómo, cómo es eso? ¿Qué es eso de que ve ahora? Cuenta, cuenta. [50]

Criada.   Sí, ve.

Don Juan.   A ver, a ver eso.

Criada.   Mi señorita era ciega, ciega de nacimiento, cuando se casó con mi amo, hará cosa de un año, pero hace cosa de un mes vino un médico que dijo podía dársele la vista y le operó y le hizo ver. Y ahora ve. [51]

Señora Eugenia.   Pues nada de eso sabía yo... [52]

Criada.   Y está aprendiendo a ver y conocer las cosas. Las toca cerrando los ojos y después los abre y vuelve a tocarlas y las mira. Le mandó el médico que no saliera a la calle hasta conocer bien la casa y lo de casa [53] y que no saliera sola, claro está. Y ahora ha venido no sé quién a decirle que su padre está muy malo, muy malo, casi muriéndose, y se empeñaba en ir a verle. Quería que le acompañase yo, y es natural, me he negado a ello. He querido impedírselo, pero se me ha escapado. ¡Vaya un compromiso! [54]

---

[48] Ms. ¿Cómo que lo era?

[49] Ms. Era ciega, sí, pero ahora ve ya.

[50] Ms. omite: ¿Qué es eso de que ve ahora? Omite igualmente las dos réplicas siguientes de criada y D. Juan.
A. ¿Cómo..., cómo es eso?

[51] Ms. cr.—Mi señorita era ciega de nacimiento cuando se casó con mi amo, hará de esto poco más de un año, pero hace cosa de un mes llegó un médico que dijo que se le podía operar para devolverle la vista, y le operó y se la devolvió y ahora ve ya. (Tachado: médico que y encima: sabio y... Tachado desde que se le podía operar hasta se la devolvió, y encima: que daría vista)
E. y la operó y le hizo ver,

[52] Ms. Es raro... porque de nada de eso me había yo enterado y mira tú que no enterarme yo... (Tachado desde y mira...)

[53] A. la casa y lo de la casa,

[54] Ms. Y está ahora   y a conocer de vista
cerrando antes los ojos   y las mira bien
Le mandó el médico (tachado: sabio)
hasta conocer primero bien la casa, y naturalmente que no saliese

Don Juan. *(A don Pedro.)* Mira, mira lo de la venda; ahora me lo explico. Se encontró en un mundo que no conocía de vista. Para ir a su padre no sabía otro camino que el de las tinieblas. ¡Qué razón tenía al decir que se vendaba los ojos para mejor ver su camino! Y ahora volvamos a lo de la ilusión y la verdad pura, a lo de la razón y la fe. *(Se van.)* [55]

Don Pedro. *(Al irse.)* A pesar de todo, Juan, a pesar de todo... *(No se les oye.)* [56]

Señora Eugenia. Qué cosas tan raras dicen estos señores, y dime, ¿y qué va a pasar? [57]

Criada. ¡Yo qué sé! A mí me dejó encargado el amo, cuando salió a ver al abuelo —me parece que de ésta se muere— que no se le dijese [58] a ella nada, y no sé por quién lo ha sabido...

Señora Eugenia. ¿Con que dices que ve ya?

Criada. Sí, ya ve.

Señora Eugenia. Quién lo diría, mujer, quién lo diría después que una le ha conocido [59] así toda la vida, cieguecita la pobre. ¡Bendito sea Dios! Lo que somos, mujer, lo que somos. [60] Nadie puede decir "de esta agua no beberé".

---

sola. *Y ahora no sé quién le ha hecho saber que su padre está malo, muy malo, casi a la muerte*
Quería que la llevase yo y, claro está, me he negado
Y añade después de *se me ha escapado: Bueno se pondrá el amo cuando vuelva y se encuentre con esto! qué compromiso, Dios mío!*

[55] Ms. *Ya está claro lo de la venda. Encontrose en un mundo ni para ir a ver a su padre sabía*
al decirnos
¿Lo ves, Pedro, lo ves? Y ahora volvamos si quieres a lo de la verdad y la ilusión, a lo de la razón y la fe... (parten)

[56] Ms. D. P.—*(según se va)* *(No se les oye ya. Vanse).*

[57] Ms. escena 6.ª / *Sra. Eugenia y la criada de María*
Sra. Eug.—*Qué cosas dicen los señores!* (Tachado *los señores*)
Y dime, con que ve ya, eh? (Y omite, por tanto, la siguiente réplica de la criada.)

[58] AA. y E. *que no le dijese*

[59] A. *la he conocido*

[60] Ms. *Lo que somos...*

Pero, dime, ¿así que cobró vista, qué fue lo primero que hizo?

CRIADA.   Lo primero, luego que se le pasó el primer mareo, pedir un espejo. [61]

SEÑORA EUGENIA.   Es natural... [62]

CRIADA.   Y estando mirándose en el espejo, como una boba, sintió rebullir al niño, y tirando el espejo se volvió a él, a verlo, a tocarlo... [63]

SEÑORA EUGENIA.   Sí, me han dicho que tiene ya un hijo...

CRIADA.   Y hermosísimo... ¡qué rico! Fue apenas se repuso del parto cuando le dieron vista. Y hay que verla con el niño. ¡Qué cosas hizo cuando le vio primero! Se quedó mirándole mucho, mucho, mucho tiempo y se echó a llorar. "¿Es esto mi hijo?" decía. "¿esto?" Y cuando le da de mamar le toca y cierra los ojos para tocarle, y luego los abre y le mira y le besa y le mira a los ojos para ver si le ve y le dice: "¿me ves, ángel? ¿me ves, cielo?" Y así... [64]

SEÑORA EUGENIA.   ¡Pobrecilla! Bien merece la vista. Sí, bien la merece, cuando hay por ahí tantas pendengonas que nada se perdería aunque ellas no viesen ni las viese nadie. [65] Tan buena, tan guapa... ¡Bendito sea Dios!

CRIADA.   Sí, como buena, no puede ser mejor... [66]

SEÑORA EUGENIA.   ¡Dios se la conserve! ¿Y no ha visto aún a su padre?

CRIADA.   ¿Al abuelo? ¡Ella no! Al que lo ha llevado a que lo vea es al niño. Y cuando volvió le llenó de besos

---

[61] Ms. *Lo primero? Luego que se le pasó como un mareo*

[62] Ms. *Sra. Eug.—Natural...*

[63] Ms. *mirándose en él, como una boba que no ve ni entiende a tocarlo, a verlo*

E. *y mirando el espejo*

- [64] Ms. *Y hermosísimo, por cierto.*

Y cuando le amamanta le toca cerrando los ojos y luego los abre y le mira y vuelve a tocarle a ciegas y le besa

[65] Ms. *Bien la merece cuando andan por ahí tantas pendengonas que nadie se perdería aunque no viesen ni las viese nadie*

LP., error: *aunque de ellas no viesen*

[66] Ms. *Sí, lo que es como buena,*

y le decía: ¡tú, tú le has visto, y yo no! ¡yo no he visto nunca a mi padre! [67]

SEÑORA EUGENIA.   ¡Qué cosas pasan en el mundo!... Qué le vamos a hacer, hija... Dejarlo. [68]

CRIADA.   Sí, así es. Pero ahora, ¿qué hago yo? [69]

SEÑORA EUGENIA.   Pues dejarlo. [70]

CRIADA.   Es verdad. [71]

SEÑORA EUGENIA.   ¡Qué mundo, hija, qué mundo! [72]

[67] Ms. *al que lo han llevado   Y cuando lo volvieron a traer ella lo hartó de besos*
tú, tú le has visto, tú y yo todavía no
[68] Ms. *Qué cosas pasan...! ni inventadas! Y qué le vamos a hacerlo* (tachado *lo*), (errata en LP.)
[69] Ms. *Sí, y ahora qué hago yo, señora Eugenia* (tachado, encima: *Señora Engracia*) *Pues lo que más me encargó el amo es que si traían alguna mala noticia del abuelo no le dejara salir a la señorita* (tachado *la señorita*; debajo: *María*) *Qué hago yo ahora?*
[70] Ms. *Dejarlo... qué remedio?*
[71] Ms. *Así es...*
[72] A. añade: FIN DEL CUADRO PRIMERO

CUADRO SEGUNDO [73]

Interior de casa de familia clase media. [74]

EL PADRE.   Esto se acaba. Siento que la vida se me va
por momentos. He vivido bastante y poca guerra os daré
ya. [75]

MARTA.   ¿Quién habla de dar guerra, padre? No diga
esas cosas; cualquiera creería... [76]

EL PADRE.   Ahora estoy bien, pero cuando menos lo espere volverá el ahogo y en una de éstas... [77]

MARTA.   Dios aprieta, pero no ahoga, padre.

EL PADRE.   ¡Así dicen!... Pero ésos son dichos, hija. Los
hombres se pasan la vida inventando dichos. Pero muero
tranquilo, porque os veo a vosotras, a mis hijas, amparadas
ya en la vida. Y Dios ha oído mis ruegos y me ha concedido que mi María, cuya ceguera fue la constante espina

<hr>

[73] Ms. II / Cuadro segundo.
[74] Ms. *Habitación de una casa de clase media. El Padre en un
sillón de baqueta, de anchos brazos, con una almohada en la cabeza. Marta trajinando.* / escena 1.ª / El Padre y Marta.
[75] Ms. *Esto se acaba, hija. Siento que la vida se me va por
momentos. He vivido ya bastante... Poca guerra os daré ya...*
[76] Ms. *¿Quién habla de guerra, padre? No diga esas cosas pues
cualquiera creería...* LP., guerras.
[77] Ms. *Ahora me encuentro bien, pero cuando menos lo espere
volverá el ahogo. Y en una de estas...*

de mi corazón, cobre la vista antes de yo morirme. Ahora puedo morir en paz. [78]

MARTA. *(Llevándole una taza de caldo.)* [79] Vamos, padre, tome, que hoy está muy débil; tome. [80]

EL PADRE. No se cura con caldos mi debilidad, [81] Marta. Es incurable. Pero trae, te daré gusto. [82] *(Toma el caldo.)* Todo esto es inútil ya.

MARTA. ¿Inútil? No tal. Ésas son aprensiones, padre, nada más que aprensiones. No es sino debilidad. El médico dice que se ha iniciado una franca mejoría. [83]

EL PADRE. Sí, es la frase consagrada. [84] ¿El médico? El médico y tú, Marta, no hacéis sino tratar de engañarme. [85] Sí, sí, ya sé que es con buena intención, por piedad,

---

[78] Ms. *Así dicen, pero eso son dichos, hijas, dichos decideros... Los hombres se pasan la vida inventando dichos... Pero muero tranquilo por veros a vosotras, mis hijas, amparadas en la vida. Y Dios oyendo mis ruegos me ha concedido que María, cuya ceguera ha sido la espina de mi corazón recobre la vista antes de yo morirme.*

Marta.—*Recobrar? Si nunca la tuvo*

El P.—*Sí... recobrar... y ahora puedo morirme en paz.*

Puede hallarse en esta frase una resonancia del texto del Evangelio de Lucas, 2, 29-32 que corresponde al canto de Simeón, conocido como el *Nunc dimittis.*

[79] LP., por error, atribuye esta réplica y la siguiente a María. Además, consecuentemente equivoca el nombre el personaje en la siguiente réplica del Padre.

[80] Ms. *tómela que hoy está muy débil... tómela...*

El P.—*Y para qué si voy a morirme pronto...*

Mt.—*Pero no de hambre...*

[81] Ms. tachado *caldo* y añadido: *esto.*

[82] Ms. *que te daré gusto*

[83] Ms. tachado *médico*, y encima: *sabio.* Tachado el resto de la frase, excepto *dice.*

[84] LP. corta aquí la réplica del Padre y, en párrafo aparte, comienza otra del mismo personaje, con las frases que siguen. Corregimos con A.

[85] Ms. *La frase consagrada. El médico* (Todo lo anterior tachado). *El médico y tú, Marta, no hacéis sino tratar de engañarme.* (Tachado *médico* y encima: *sabio.* Añade:) *Es después de todo vuestro deber.*

hija, por piedad; pero ochenta años [86] resisten a todo engaño.

MARTA.   ¡Ochenta? ¡Bah! ¡Hay quien vive ciento!

EL PADRE.   Sí, y quien se muere de veinte. [87]

MARTA.   ¿Quién habla de morirse, padre?

EL PADRE.   Yo, hija, yo hablo de morirme. [88]

MARTA.   Hay que ser razonable...

EL PADRE.   Sí, te entiendo, Marta. [89] Y dime, tu marido, ¿dónde anda tu marido?

MARTA.   Hoy le tccan trabajos de campo. Salió muy de mañana.

EL PADRE.   ¿Y volverá hoy? [90]

MARTA.   ¿Hoy? ¡Lo dudo! Tiene mucho que hacer, tarea para unos días. [91]

EL PADRE.   ¿Y si no vuelvo a verle?

MARTA.   ¿Pues no ha de volver a verle, padre?

EL PADRE.   Y si no vuelvo a verle, digo... [92]

MARTA.   Qué le vamos a hacer... [93] Está ganándose nuestro pan.

EL PADRE.   Y no puedes decir [94] el pan de nuestros hijos, Marta.

MARTA.   ¿Es un reproche, padre?

EL PADRE.   ¿Un reproche? No... no... no...

MARTA.   Sí, con frecuencia habla de un modo que parece como si me inculpara nuestra falta de hijos... Y acaso debería regocijarse por ello...

EL PADRE.   ¿Regocijarme? ¿Por qué? ¿Por qué, Marta?... [95]

---

[86] Ms. intercala *y cinco* (aquí y en la siguiente réplica de Marta).
[87] Ms. *quince*
[88] Ms. *Yo, hija, yo;*
[89] Ms. *Razonable? Sí, te entiendo, Marta.*
[90] Ms. tachado
[91] Ms. *Como que tenga* (tachado *tiene*) *tarea para días*
[92] Ms. *Sí. Y si no vuelvo a verle, digo...*
[93] Ms. tachado desde Marta: *¿Hoy?* hasta aquí.
[94] Ms. *Ay, no puedes decir*
[95] Ms. *Regocijarme, Marta? Porqué, dime, porqué regocijarme?*

MARTA.   Porque así puedo yo atenderle mejor. [96]

EL PADRE.   Vamos, sí, que yo, tu padre, hago para ti las veces de hijo... Claro, estoy en la segunda infancia... cada vez más niño... pronto voy a desnacer... [97]

MARTA.   *(Dándole un beso.)* Vamos, padre, déjese de esas cosas...

EL PADRE.   Sí, mis cosas, las que me dieron fama de raro... [98] Tú siempre tan razonable, tan juiciosa, Marta. No creas que me molestan tus reprimendas... [99]

MARTA.   ¿Reprimendas yo? ¿Y a usted, padre? [100]

EL PADRE.   Sí, Marta, sí; aunque con respeto me tratas como a un chiquillo antojadizo. Es natural... *(Aparte.)* Lo mismo hice con mi padre yo. [101] Mira, [102] que Dios os dé ventura, y si ha de seros para bien que os dé también hijos. [103] Siento morirme sin haber conocido un nieto que me venga de ti. [104]

MARTA.   Ahí está el de mi hermana María.

EL PADRE.   ¡Hijo mío! ¡Qué encanto de chiquillo! [105] ¡Qué flor de carne! Tiene los ojos mismos de su madre... ¡los míos! [106] Pero el niño ve, ¿no es verdad, Marta? [107] El niño ve...

MARTA.   Sí, ve..., parece que ve...

---

[96] Ms. omite *yo*

[97] Ms. *segunda y última infancia y cada vez más niño... Pronto me verás des-nacer*

[98] Ms. *De estas cosas, sí, de las que me dieron mote de raro...* (y tachado *sí*)

[99] Ms. añade: *antes al contrario*

[100] Ms. añade: *yo?*

[101] Ms. añade después: *(alto)*

[102] Ms. *Mira, hija, que Dios*

[103] Ms. omite: *también*

[104] Ms. *Pero siento morirme sin haber conocido un nieto que de ti me venga.*

[105] Ms. *qué bendición de niño!*

[106] A. *¡Tiene los mismos ojos que su madre... los mismos!* (La lectura de LP., que mantenemos, concuerda con Ms.)

[107] Ms. omite: *Marta*

El Padre.   Parece... [108]

Marta.   Es tan pequeñito aún...

El Padre.   ¡Y ve ella, ve ya ella, ve mi María! ¡Gracias, Dios mío, gracias! Ve mi María... Cuando había yo ya perdido toda esperanza... [109] No debe desesperarse nunca, nunca... [110]

Marta.   Y progresa de día en día. Maravillas hace hoy la ciencia... [111]

El Padre.   ¡Milagro eterno es la obra de Dios! [112]

Marta.   Ella está deseando venir a verle, pero... [113]

El Padre.   Pues yo quiero que venga, que venga en seguida, en seguida, [114] que la vea yo, que me vea ella, y que le vea como me ve. Quiero tener antes de morirme el consuelo de que mi hija ciega me vea por primera, tal vez por última vez... [115]

Marta.   Pero, padre, eso no puede ser ahora. Ya la verá usted y le verá ella cuando se ponga mejor... [116]

El Padre.   ¿Quién? ¿Yo? ¿Cuando me ponga yo mejor?

Marta.   Sí, y cuando ella pueda salir de casa.

El Padre.   ¿Es que no puede salir ahora?

[108] Ms. *Parece sólo?*

[109] A. *Cuando yo ya había perdido*

[110] Ms. El P.—*Y ella ve, ve ella, mi María...*
Mt.—*Sí, ve*
El P.—*Le has visto ver? Te ha visto?*
Mt.—*Sí, le he visto que me veía*
El P.—*Gracias, Dios mío, gracias! Ve mi María... cuando había yo ya perdido toda esperanza*

[111] Ms. tachada esta réplica.

[112] Ms. *Milagro permanente la obra de Dios!*

[113] Corregimos según A. por coherencia con el resto del texto. LP. *verte.*

[114] Ms. *Sí, sí, que venga, quiero que venga, que venga en seguida, sin pérdida de tiempo*

[115] Ms. *por primera... por primera y por última vez.* Respecto de la expresión "ver como me ve", sugerimos su origen en el texto de San Pablo de 1 *Cor.* 13, 12.

[116] Ms. *Pero, padre, eso no puede ser por ahora. Ya le verá usted y a usted ella cuando se ponga mejor...* (Esta réplica y la siguiente, del Padre, tachadas).

MARTA.   No, todavía no; se lo ha prohibido el médico. [117]

EL PADRE.   El médico... el médico... siempre el médico... Pues yo quiero que venga. Ya que he visto, aunque sólo sea un momento, a su hijo, a mi nietecillo, quiero antes de morir ver que ella [118] me ve con sus hermosos ojos...

(Entra JOSÉ.) [119]

EL PADRE.   Hola, [120] José, ¿y tu mujer?

JOSÉ.   María, padre, no puede venir. Ya se la traeré cuando pasen [121] unos días.

EL PADRE.   Es que cuando pasen unos días habré yo ya pasado. [122]

MARTA. [123]   No le hagas caso; ahora le ha entrado la manía de que tiene que morirse.

EL PADRE.   ¿Manía?

JOSÉ.   *(Tomándole el pulso.)* Hoy está mejor el pulso, parece.

MARTA.   *(A José, aparte.)* [124] Así, hay que engañarle.

JOSÉ. [125]   Sí, que se muera sin saberlo.

MARTA. [126]   Lo cual no es morir.

EL PADRE.   ¿Y el niño, José?

JOSÉ.   Bien, muy bien, viviendo.

EL PADRE.   ¡Pobrecillo! Y ella loca de contenta con eso de ver a su hijo... [127]

JOSÉ.   Figúrese, padre.

---

[117] Ms. tachado: *médico* y al lado: *sabio.*
[118] Ms. *antes de morirme ver como ella*
[119] Ms. a continuación: escena 2.ª / *Dichos y José.*
[120] Ms. y LP., *Ola*
[121] Ms. *se la traeré yo cuando haya pasado*
[122] Ms. *Es que cuando hayan ellos pasado habré pasado también yo con ellos.*
[123] Ms. añade: (*a José*)
[124] Ms (*aparte, a José*)
[125] Ms. añade: (*aparte a Marta*)
[126] Ms. añade: (*aparte, a José*)
[127] Ms. *loca de contento con eso de ver a su hijo, no?*

EL PADRE.   Tenéis que traérmelo otra vez, pero pronto, muy pronto. Quiero volver a verle. [128] Como que me rejuvenece. [129] Si le viese aquí, en mis brazos, tal vez todavía resistiese para algún tiempo más. [130]

JOSÉ.   Pero no puede separársele mucho tiempo de su madre. [131]

EL PADRE.   Pues que me le traiga ella.

JOSÉ.—¿Ella?

EL PADRE.   Ella, sí; que venga con el niño. Quiero verla con el niño y con vista y que me vean los dos... [132]

JOSÉ.   Pero es que ella... [133]

(EL PADRE *sufre un ahogo.*)[134]

JOSÉ.   *(A Marta.)* ¿Cómo va?

MARTA.   Mal, muy mal. Cosas del corazón...

JOSÉ.   Sí, muere por lo que ha vivido; muere de haber vivido.

MARTA.   Está, como ves, a ratos tal cual. Estos ahogos [135] se le pasan pronto, y luego está tranquilo, sosegado, habla bien, discurre bien... El médico dice que cuando menos lo pensemos [136] se nos quedará muerto, y que sobre todo hay que evitarle las emociones fuertes. [137] Por eso creo que no debe venir tu mujer; [138] sería matarle...

---

[128] Ms. *verlo*

[129] Ms. *Creo que eso me rejuvenece*

[130] Ms. *en mis brazos otra vez tal vez resucitase todavía para algún tiempo...*

[131] Ms. *Es que no puede separársele mucho de su madre*

[132] Ms. la frase es: *Quiero que me vean los dos*

[133] Ms. omite: *Pero*

[134] Ms. *El Padre sufre un síncope de disnea*

[135] Ms. *síncopes*

[136] E. *cuando menos nos pensemos.*

[137] Ms. *El médico dice que cuando menos lo pensemos, en una de éstas, se nos quedará... y que sobre todo hay que evitarle las emociones vivas*

[138] Ms. *María*

José. ¡Claro está!

El Padre. [139] Pues, sí, yo quiero que venga.

(Entra María vendada.) [140]

José. [141] Pero, mujer, ¿qué es esto?

Marta. [142] ¿Te has vuelto loca, hermana? (Intentando detenerla.) [143]

María. Déjame, Marta.

Marta. ¿Pero a qué vienes? [144]

María. ¿A qué? [145] ¿Y me lo preguntas tú, tú, Marta? A ver al padre antes de que se muera...

Marta. ¿Morirse?

María. Sí, sé que está muriendo. [146] No trates de engañarme.

Marta. ¿Engañarte yo?

María. Sí, tú. No temo a la verdad.

Marta. Pero no es por ti, es por él, por nuestro padre. Esto puede precipitarle [147] su fin...

María. Ya que ha de morir, que muera conmigo.

Marta. Pero... [148] ¿qué es eso? (Señalando la venda.) ¡Quítatelo!

María. No, no, no me la quito; dejadme. [149] Yo sé lo que me hago.

Marta. (Aparte.) ¡Siempre lo mismo! [150]

---

[139] Ms. añade: (volviendo en sí)
[140] Ms. escena 3.ª / Dichos y María / Entra María vendada y deja al entrar el bastón en una esquina.
[141] Ms. añade: (yendo a su encuentro)
[142] Ms. añade: (yendo también a ella)
[143] Ms. (Intenta detenerla) (José se vuelve a cuidar al viejo)
[144] Ms. añade: y a qué viene eso que te has puesto ahí?
[145] Ms. A qué vengo?
[146] Ms. que se muere
[147] Ms. precipitar
[148] Ms. Pero y bueno
[149] Ms. No, no me la quito: déjame   E. déjame
[150] Ms. Siempre la misma...

EL PADRE.   *(Observando la presencia de María.)* ¿Qué es eso? ¿Quién anda ahí? ¿Con quién hablas? ¿Es María? ¡Sí, es María! ¡María! ¡María! ¡Gracias a Dios que has venido! [151] *(Se adelanta María, deja el bastón [152] y sin desvendarse se arrodilla al pie de su padre, a quien acaricia.)* [153]

MARÍA.   Padre, padre; ya me tienes aquí, contigo.

EL PADRE.   ¡Gracias a Dios, hija! Por fin tengo el consuelo de verte antes de morirme. Porque yo me muero...

MARÍA.   No, todavía no, que estoy yo aquí.

EL PADRE.   Sí, me muero.

MARÍA.   No, tú no puedes morirte, padre.

EL PADRE.   Todo nacido muere...

MARÍA.   ¡No, tú no! Tú... [154]

EL PADRE.   ¿Qué? ¿Que no nací? No me viste tú nacer, de cierto, hija. Pero nací... y muero...

MARÍA.   ¡Pues yo no quiero que te mueras, padre!

MARTA.   No digáis bobadas. [155] *(A José.)* No se debe hablar de la muerte, y menos a moribundos.

JOSÉ.   Sí, con el silencio se la conjura. [156]

EL PADRE.   *(A María.)* Acércate, [157] hija, que no te veo bien, [158] quiero que me veas antes de yo morirme, quiero tener el consuelo de morir después de haber visto que tus hermosos ojos me vieron. Pero, ¿qué es eso? ¿Qué es eso que tienes ahí, María? [159]

MARÍA.   Ha sido para ver el camino.

---

[151] Ms. El P.—*Pero... quién habla ahí? no es María? Sí, María, María! Gracias a Dios que has venido... (intenta levantarse e ir a su encuentro) No, no puedo... no puedo...*

[152] Ms. omite: *deja el bastón*

[153] Ms. *se arrodilla al pie de su padre cuyas piernas toca y acaricia, permaneciendo un rato con la cabeza baja.)*

[154] Ms. *Pero tú no, no... Tú...*

[155] Tachado en el ms.

[156] Ms. tachado: *el silencio,* y encima: *no mentarla* LP. *con el silencio se la conjura*

[157] Ms. el P.—*Pero levanta la cabeza y acércate,*

[158] Ms. añade: *Se me va la vista*

[159] Ms. añade: *sobre los ojos*

El Padre.   ¿Para ver el camino?

María.   Sí, no lo conocía. [160]

El Padre.   (Recapacitando.) Es verdad; [161] pero ahora que has llegado [162] a mí, quítatelo. Quítate eso. Quiero verte los ojos; quiero que me veas; quiero que me conozcas...

María.   ¿Conocerte? Te conozco bien, muy bien, padre. [163] (Acariciándole.) Este es mi padre, éste, éste y no otro. Éste el que sembró [164] de besos mis ojos ciegos, besos [165] que al fin, gracias a Dios, han florecido; el que me enseñó a ver lo invisible [166] y me llenó de Dios el alma. [167] (Le besa en los ojos.) Tú viste por mí, padre, y mejor que yo. Tus ojos fueron míos. (Besándole en la mano.) Esta mano, esta santa mano, me guió por los caminos de tinieblas de mi vida. (Besándole en la boca.) De esta boca partieron a mi corazón las palabras que enseñan lo que en la vida no vemos. [168] Te conozco, padre, te conozco; te veo, te veo muy bien, [169] te veo con el corazón. (Le abraza.) ¡Éste, éste es mi padre y no otro! Éste, éste, éste... [170]

José.   ¡María! [171]

María.   (Volviéndose.) [172] ¿Qué?

Marta.   Sí, con esas cosas le estás haciendo daño. Así se le excita... [173]

---

[160] Ms. *Sí, como no lo conocía de vista sino...*

[161] Ms. *Ah, sí, es verdad, es verdad...*

[162] Ms. añade: *por fin*

[163] Ms. añade: *Verte? Te veo, sí, te veo.*

[164] A. *Este es el que sembró*

[165] Ms. omite: *besos*

[166] Ms. *Este es el que me enseñó a ver en lo invisible*

[167] Ms. añade: *este... este y no otro. Y sigue:* (Besándole en la mano) *etc. hasta* lo que en la vida no vemos

[168] En este lugar en el ms.: (Besándole los ojos) *etc. hasta* tus ojos fueron míos

[169] Ms. *Te conozco, padre, sí, te conozco. Y te veo, te veo, te veo muy bien*

[170] Ms. omite: *(le abraza).* Sigue: *Este es mi padre, éste y no otro!*

[171] Ms. añade: El P.—*Hija! hija mía!*

[172] Ms. *(volviéndose un poco)*

[173] Ms. *Que con esas cosas le estás dañando. Así se le sobrexcita*

MARÍA.   ¡Bueno, dejadnos! ¿No nos dejaréis aprovechar la vida que nos resta? ¿No nos dejaréis vivir?

JOSÉ.   Es que eso...

MARÍA.   Sí, esto es vivir, esto. [174] *(Volviéndose a su padre.)* Esto es vivir, padre, esto es vivir.

EL PADRE.   Sí, esto es vivir, tienes razón, hija mía.

MARTA.   *(Llevando una* [175] *medicina.)* Vamos, padre, es la hora; a tomar esto. Es la medicina... [176]

EL PADRE.   ¿Medicina? ¿Para qué?

MARTA.   Para sanarse.

EL PADRE.   Mi medicina [177] *(señalando a María)* es ésta. María, hija mía, hija de mis entrañas...

MARTA.   Sí, ¿y la otra?

EL PADRE.   Tú viste siempre, Marta. No seas envidiosa.

MARTA.   *(Aparte.)* Sí, ella [178] ha explotado su desgracia.

EL PADRE.   ¿Qué rezungas ahí tú, la juiciosa? [179]

MARÍA.   No la reprendas, padre. Marta es muy buena. Sin ella, ¿qué hubiéramos hecho nosotros? ¿Vivir de besos? Ven, hermana, ven. *(Marta se acerca y las dos hermanas se abrazan y besan.)* [180] Tú, Marta, naciste con vista; has gozado [181] siempre de la luz. Pero déjame a mí que no tuve otro consuelo que las caricias de mi [182] padre.

MARTA.   Sí, sí, es verdad.

MARÍA.   ¿Lo ves, Marta, lo ves? Si tú tienes que comprenderlo... *(La acaricia.)* [183]

MARTA.   Sí, sí, pero...

MARÍA.   Deja los peros, hermana. Tú eres la de los peros... ¿Y qué tal? [184] ¿Cómo va padre?

---

[174] Ms. omite: *esto*

[175] Ms. *la*

[176] la última frase, tachada en ms.

[177] Ms. *Sanarme?* Luego, tachado: *medicina,* y encima: *sabio*

[178] Ms. *Y ella*

[179] E. *rezongas*

[180] Ms. *(Se abrazan las hermanas)*

[181] Ms. *y has gozado*

[182] Ms. *nuestro*

[183] Ms. omite la acotación.

[184] Ms. tachado: *tú eres la de los peros.* Añade: *(más bajo,*

MARTA.   Acabando...

MARÍA.   Pero...

MARTA.   No hay pero que valga. [185] Se le va la vida por momentos...

MARÍA.   Pero con la alegría de mi curación, con la de ver al nieto. [186] Yo creo...

MARTA.   Tú siempre tan crédula y confiada, María. Pero no, se muere y acaso sea mejor. Porque esto no es vida. Sufre y nos hace sufrir a todos. Sea lo que haya de ser, pero que no sufra... [187]

MARÍA.   Tú siempre tan razonable, Marta.

MARTA.   Vaya, hermana, conformémonos con lo inevitable. (Abrazándose.) [188] Pero quítate eso, por Dios. (Intenta quitárselo.) [189]

MARÍA.   No, no, déjamela... Conformémonos, hermana. [190]

MARTA.   (A José.) [191] Así acaban siempre estas trifulcas entre nosotras. [192]

JOSÉ.   Para volver a empezar.

MARTA.   ¡Es claro! [193] Es nuestra manera de querernos...

EL PADRE.   (Llamando.) María, ven. ¡Y quítate esa venda, quítatela! [194] ¿Por qué te la has puesto? [195] ¿Es que la luz te daña?

MARÍA.   Ya te he dicho que fue para ver el camino al venir a verte. [196]

---

para que no lo oiga el Padre, distraído en tanto con José) y dime, qué tal?

[185] frase tachada en ms.

[186] Ms. añade: *con la de verme*

[187] Ms. *mas*

[188] Ms. omite: *(Abrazándose)*

[189] Ms. *(intenta quitarle la venda)*

[190] Ms. añade: El P.—*Habéis acabado*

[191] Ms. omite la acotación

[192] Ms. añade: *en un abrazo*

[193] Ms. *Natural*

[194] Ms. *Bueno, María, ven, ven y quítate eso de una vez*

[195] Ms. *lo*

[196] Ms. omite: *al venir a verte*

EL PADRE.   Quítatela; [197] quiero que me veas a mí que
no soy el camino.

MARÍA.   Es que te veo. Mi padre es éste y no otro. *(El
padre intenta quitársela y ella le retiene las manos.)* No,
no; así, así. [198]

EL PADRE.   Por lo menos que te vea los ojos, [199] esos
hermosos ojos que nadaban en tinieblas, esos ojos en los
que tantas veces me vi mientras tú no me veías con ellos.
Cuántas [200] veces me quedé extasiado contemplándotelos,
mirándome dolorosamente en ellos y diciendo: ¿para qué
tan hermosos si no ven? [201]

MARÍA.   Para que tú, padre, te vieras en ellos; para ser
tu espejo, un espejo vivo.

EL PADRE.   ¡Hija mía! ¡Hija mía! Más de una vez mirando así yo tus ojos [202] sin vista, cayeron a ellos desde los
míos lágrimas [203] de dolorosa resignación...

MARÍA.   Y yo las lloré luego, tus lágrimas, padre.

EL PADRE.   Por esas lágrimas, hija, por esas lágrimas,
mírame ahora con tus ojos; quiero que me veas...

---

[197] Ms. *Bueno, pero ahora*
El Padre es el término, no el camino. Parece la forma negativa
de la frase del Evangelio de Juan, 14, 6. Todo el contexto es importante, pues trata de ver al Padre.

[198] Ms. *Mi padre es éste y no otro* (tachado) *el otro. (Intenta el
Padre con sus manos temblonas quitarle la venda) No, no, no,
así, así!*

[199] Ms. *Por lo menos, hija, que te vea yo esos* (tachado) *los ojos;*

[200] Ms. *Cuántas, cuántas veces*

[201] Ms. *mirándome, como en un espejo, dolorosamente en ellos
y diciendo: para qué tan hermosos si no me ven?*
A. la última frase del texto, entre comillas.
De nuevo aquí, y en la siguiente frase de María, parece resonar la alusión a S. Pablo: 1 *Cor.* 13, 12, y 2 *Cor.* 3, 18. Y puede
ser igualmente oportuno recordar este otro pasaje del mismo Unamuno: "[Dice el Génesis que Dios creó el Hombre a su imagen y semejanza. Es decir, que le creó espejo para verse en él,
para conocerse, para crearse]". *Cómo se hace una novela. Obras
Completas,* tomo X, p. 862.

[202] Ms. *yo a tus ojos*

[203] Ms. *ardientes lágrimas, lágrimas*

MARÍA. *(Arrodillada al pie de su padre.)* Pero si te veo, padre, si te veo… [204]

CRIADA. *(Desde dentro llamando.)* ¡Señorito! [205]

JOSÉ. *(Yendo a su encuentro.)* ¿Qué hay?

CRIADA. *(Entra llevando al niño.)* [206] Suponiendo que no volverían y como empezó a llorar lo he traído, pero ahora está dormido… [207]

JOSÉ. Mejor; déjalo; llévalo. [208]

MARÍA. *(Reparando.)* ¡Ah! ¡Es el niño! [209] Tráelo, tráelo, José.

EL PADRE. ¿El niño? ¡Sí, traédmelo! [210]

MARTA. Pero, ¡por Dios!…

> *(La criada trae el niño; lo toma* MARÍA, *lo besa y se lo pone delante al abuelo.)* [211]

MARÍA. Aquí le tienes, padre. *(Se lo pone en el regazo.)*

EL PADRE. ¡Hijo mío! Mira cómo sonríe en sueños. Dicen que es que está conversando [212] con los ángeles… ¿Y ve, María, ve?

MARÍA. Ve, sí, padre, ve.

EL PADRE. Y tiene tus ojos, tus mismos ojos… A ver, a ver, [213] que los abra…

MARÍA. No, padre, no; déjale que duerma. No se debe despertar a los niños cuando duermen. Ahora está en el cielo. Está mejor dormido.

---

[204] Ms. *Es que te veo… (volviéndose prestamente) Qué? el niño?*

[205] Ms. *escena 4.ª / Dichos, la criada y el niño luego. / la criada (llamando desde la puerta) Señorito!* (tachado y a continuación:) *José.*

[206] Ms. *(sacando al niño)*

[207] Ms. omite: *pero ahora está dormido*

[208] Ms. *Bueno, llévalo*

[209] Ms. omite: *Es*

[210] Ms. *traedlo*

[211] Ms. *(José trae al niño y se lo da a María que lo coloca en el regazo del Padre)* Suprimida ia acotación de la réplica siguiente.

[212] Ms. *hablando*

[213] Ms. omite la repetición.

EL PADRE.   Pero tú ábrelos... [214] quítate eso... mírame...
quiero que me veas y que te veas aquí, ahora, [215] quiero ver
que me ves... quítate eso. Tú me ves acaso, pero yo no
veo que me ves y quiero ver que me ves; quítate eso... [216]

MARTA.   ¡Bueno, basta de estas cosas! ¡Ha de ser el último! ¡Hay que dar ese consuelo al padre! [217] *(Quitándole la
venda.)* [218] ¡Ahí tienes a nuestro padre, hermana!

MARÍA.   ¡Padre! [219] *(Se queda como despavorida mirándole. Se frota los ojos, los cierra, etc. El padre lo mismo.)* [220]

JOSÉ.   *(A Marta.)* Me parece demasiado fuerte la emoción. [221] Temo que su corazón no la resista. [222]

MARTA.   Fue una locura esta venida de tu mujer...

JOSÉ.   Estuviste algo brutal...

MARTA.   ¡Hay que ser así con ella! [223]

> (EL PADRE *coge la mano de* MARTA *y se deja
> caer en el sillón exánime.* [224] MARTA *le besa en la
> frente y se enjuga los ojos.* [225] *Al poco rato* MARÍA
> *le toca la otra mano, la siente fría.)* [226]

MARÍA.   Oh, fría, fría... [227] ha muerto... ¡Padre! ¡Pa-

[214] Ms. *Pero tú, María, por Dios, por Dios, hija mía,*
[215] Ms. *y que le veas aquí.* Omite: *ahora.* (Todas las ediciones
dan *te veas,* aunque tiene perfecto sentido, y quizás mejor, referido al niño, *le veas)*
[216] Ms. *Tú me ves acaso como dices pero yo no veo que me
veas y quiero verlo... quítate...*
[217] Ms. invierte el orden de estas dos frases.
[218] Ms. añade: *a su hermana*
[219] Ms. *Padre! padre!* (Entre las réplicas de Marta y de María
aparece sobrepuesto, con fuerte trazo: LUZ y subrayado).
[220] Ms. *se frota los ojos y los cierra. El Padre la mira a los ojos
como fuera de sí.)*
[221] Ms. *Esto es demasiado*
[222] Ms. *lo*
[223] Las dos réplicas, de José y de Marta, omitidas en el Ms. En
cambio: María: *Padre!... hijo! (le aquieta)*
[224] Ms. *El Padre coje la mano de María y cae en el sillón exá-
nime*
[225] Ms. añade: *Mt.—Se acabó*
[226] Ms. María *(tocando la mano de su padre)*
[227] Ms. *fría ya*

dre!... No me oye... ni [228] me ve... ¡Padre! [229] ¡Hijo, voy, no llores!... ¡Padre!... ¡La venda, la venda otra vez! ¡No quiero volver a ver!

[Fin de "La venda"] [230]

[228] Ms. *no*

[229] Ms. añade: *(aquietando al niño como quien le cuna) Calla, hijo, calla, no llores... padre!*

[230] Ms. *No quiero volver a ver... no quiero! (Cae el telón)* / Fin. A., fin de / "la venda". E., fin del drama.

FEDRA

Tragedia en tres actos

EXORDIO [1]

Señoras y señores, Amigos míos del Ateneo:

Esta mi tragedia *Fedra* no me ha sido posible que me la acepten para representarla en un teatro de Madrid. La misma suerte han corrido otros dramas que tengo compuestos y presentados.

Ha habido para ello razones externas al arte y otras internas a él.

Las externas son que ni formo parte del cotarro de lo que se llama por antonomasia los *autores,* ni hago nada por entrar en él mediante los procedimientos ya clásicos, y que tampoco me puedo ni debo reducir a perder el tiempo en saloncillos y otros lugares análogos solicitando, siquiera con una silenciosa asiduidad a tales tertulias teatrales, un turno para que den al público a conocer mis obras dramáticas.

Agréguese que ni sé ni quiero saber escribir papeles, y menos cortados a la medida de tal actor o actriz, y más

---

[1] Texto compuesto para ser leído en el Ateneo de Madrid, antes de la representación que allí tuvo lugar el 25 de marzo de 1918. Se publica en el semanario *España,* núm. 155, de 28 del mismo mes y año, y se reproduce en las ediciones preparadas por Manuel García Blanco. También en *ABC,* 27 de noviembre de 1957, y *Primer Acto,* núm. 58, noviembre de 1964. Unamuno adaptó su prólogo con fecha 10 de enero de 1921, publicándolo en *El Adelanto,* de Salamanca, el día 12, como "Autocrítica de Fedra". Datos en E. Salcedo, *ob. cit.,* p. 236, nota 31.

desconociendo, como desconozco, las respectivas aptitudes
de los hoy en boga, desconocimiento que no me han de
perdonar. Y como procuro, en vez de cortar papeles, crear
personajes —o más bien, personas, caracteres—, tampoco
puedo ni debo estar dispuesto a modificar y estropear a
éstos para acomodarlos, como a un potro, a las condiciones
de quien los haya de representar. Son éstos, los actores y
actrices, los que en buena ley de arte deben doblegarse
al carácter dramático.

Hay un perenne conflicto entre el arte dramático y el
arte teatral, entre la literatura y la escénica, y de ese conflicto resulta que unas veces se impone al público dramas
literariamente detestables, estragando su gusto, y otras veces se ahoga excelentes dramas.

Y me parece en la mayoría de los casos un desatino eso
de decir de un drama que es excelente para leído, pero
poco teatral. Lo que leído produce efecto dramático, cómico o trágico, ha de producirlo si se sabe representarlo.

Y hay que educar al público para que guste del desnudo trágico.

Llamo desnudo en la tragedia o desnudez trágica al efecto que se obtiene presentando la tragedia en toda su au-
gusta y solemne majestad.

Libre primero de todos los perifollos de la ornamentación escénica.

Así, esta mi *Fedra,* que no es sino una modernización
de la de Eurípides, o mejor dicho, el mismo argumento de
ella, sólo que con personajes de hoy en día, y cristianos
por tanto —lo que la hace muy otra—; esta mi *Fedra* puede representarse con la misma escena para los tres actos,
consistiendo en una limpia sábana blanca de fondo —que
simboliza un cuarto—, una mesa de respeto y tres sillas
para que puedan sentarse, si lo creen alguna vez de efecto,
los actores, y vestidos éstos con su traje ordinario de calle.
No quiere necesitar esta tragedia del concurso de pintor
escenógrafo, ni de sastre y modisto, ni de peluquero. As-
piro a que cuanto diga y exprese Fedra, por ejemplo, sea
de tal intensidad trágica, que los espectadores —y sobre

todo las espectadoras— no tengan que distraerse mirando cómo va vestida la actriz que la representa. Y que ésta tenga que atender más a la expresión del carácter que simboliza que a sus propios encantos personales —por grandes que éstos sean— o a su elegancia en el vestir.

El éxito del cinematógrafo creo que acabará por influir favorablemente en el arte dramático, haciéndole volver a éste a su primitiva severidad de desnudez clásica y dejando para aquel otro todo lo que es ornamentación escénica. El que vaya a ver y oír un drama ha de ir a verlo y a oírlo, y no a ver decoraciones, mobiliarios, indumentaria y acaso tramoya y a oír algo externo al drama mismo.

Y aun dentro de la tragedia como obra poética he tendido, acaso por mi profesional familiaridad con los trágicos griegos, a la mayor desnudez posible, suprimiendo todo episodio de pura diversión, todo personaje de mero adorno, toda escena de mera transición o de divertimiento. Los personajes están reducidos, con una economía que quiere ser artística, al mínimo posible, y el desarrollo de la acción, resultado del choque de pasiones, va por la línea más corta posible. El diálogo mismo tiende a ser lo menos oratorio posible. Y si hay monólogos, como en el antiguo arte clásico los había, es porque ahorran largos rodeos y son de una verdad íntima mucho mayor que la de éstos.

La acción, el drama de esta tragedia quiere aparecer aquí desnuda, sin prolijo ropaje que la desfigure. Es poesía y no oratoria dramática lo que he pretendido hacer. Y esto me parece que es tender al teatro poético y no ensartar rimas y más rimas, que a las veces no son sino elocuencia rimada, y de ordinario ni aun eso.

Teatro poético no es el que se nos presenta en largas tiradas de versos para que los recite, declame o canturree cualquier actor o actriz de voz agradable y de tonillo cosquilleador o adormecedor de oídos; teatro poético será el que cree caracteres, ponga en pie almas agitadas por las pasiones eternas y nos las meta al alma, purificándonosla, sin necesidad de ayuda, sino la precisa, de las artes auxiliares.

Y así indicado lo que quiero decir con lo de desnudez poética de la tragedia, he de pasar a decir dos palabras respecto al final de esta tragedia: a la muerte de Fedra.

Hay quien me ha dicho que Fedra debía morir en escena, mas yo, después de bien pensado, sentí —sentí, no pensé— que la muerte tiene mucho más efecto poético y más grande pesando invisible sobre la escena que presentándose crudamente en ella. Ha de haber un mayor misterio y una mayor angustia trágica en ver a Pedro, el marido de Fedra, pendiente de una muerte que se siente cernerse allí junto, y sentir que la pobre, presa del amor trágico, y su víctima, su hijastro, se miran a los ojos bajo los ojos de la Esfinge.

Una muerte en escena sólo convendría a una actriz de esas que tienen una colección de muertes para mostrar sus habilidades escénicas. Pero siempre que he visto a algún actor especialista en muertes expirar en escena, me ha parecido aquello más cinematográfico que dramático y casi siempre repulsivo. Es ello de un arte inferior y con ello se consigue efectos que ningún dramaturgo debe procurar a los que han de representar sus obras.

También algunos técnicos —técnicos en arte teatral, no en dramaturgia— me han advertido la escueta desnudez de ciertas expresiones. He tratado, en efecto, de poner al desnudo el alma y el amor de Fedra, pero por creerlo más poético. Un amor así, fatídico, siempre es hermoso aunque terrible —hermosísimo era Luzbel mismo— y debe aparecer al desnudo. Desnudez, que es siempre más casta que el desvestido.

Los oídos más castos deben y pueden oír los rugidos de una fatídica pasión irresistible; lo que no deben oír son las picardigüelas de la sensualidad hipócrita o los desahogos del vicio. Sólo una gazmoñería farisaica puede fingir escandalizarse de la castísima desnudez con que aquí se os presenta un alma dominada por el amor fatal.

No sé el resultado que pueda obtener este ensayo de un renovado arte dramático clásico, escueto, desnudo, puro, sin perifollos, arrequives, postizos y pegotes teatrales u oratorios; pero hace tiempo que creo que a nuestra actual dramaturgia española le falta pasión, sobre todo pasión, le falta tragedia, le falta drama, le falta intensidad.

He querido presentaros unas almas humanas arrastradas por el torbellino del amor trágico y he arrojado de mi obra todo lo que podía haber encubierto la pobreza de la acción, si ella es pobre. Mas si es rica en sí, dentro de sí, poéticamente rica, rica en intensidad trágica, y si son ricos en humanidad los personajes, no podrán sino ganar con esa escueta desnudez.

Vosotros lo diréis, que yo ya os he dicho mi intención. Si bien en arte la intención no salva.

Decidid, pues.

PERSONAJES

Fedra	Eustaquia, *nodriza de Fedra*
Pedro, *su marido*	Marcelo, *médico, amigo*
Hipólito, *hijo de Pedro*	*de Pedro*
y alnado de Fedra	Rosa, *la criada*

El argumento generador de esta tragedia es el mismo del *Hipólito* de Eurípides y de la *Fedra* de Racine.[2] El desarrollo es completamente distinto del de ambas tragedias.

De los personajes de aquéllas sólo he conservado con sus propios nombres tradicionales a Fedra e Hipólito, la nodriza (τροφοσ)[3] de Eurípides, Oenone en Racine, ha cambiado en mi Eustaquia. En Eurípides figuran además Venus, Diana, Teseo, dos nuncios, criados y un coro de mujeres trezenias,[4] y en Racine, Teseo, Aricia, Teramenes, Ismena, Panope y guardias.

---

[2] Ms. a continuación y tachado: *que es casi una repetición de aquel*

[3] A. y E. τροψος

[4] En realidad son dos, uno de cazadores y otro de mujeres.

ACTO PRIMERO [5]

[ESCENA I]

Fedra y Eustaquia

Eustaquia.   Pero qué, ¿no se te quita eso de la cabeza,
Fedra?

Fedra.   ¡Ay, Eustaquia! si hubiese de ser de la cabeza
sólo, ya se me habría quitado, pero...

Eustaquia.   El corazón es más rebelde, lo sé.

Fedra.   Y ahora es cuando más me acuerdo de mi madre...

Eustaquia.   ¿Acordarte? No puede ser...

Fedra.   Sí, aunque te parezca mentira me acuerdo de
esa madre de la que perdí toda memoria... ¿toda...? de
esa madre a la que apenas conocí. Paréceme sentir sobre
mis labios su beso, un beso de fuego en lágrimas, cuando
tenía yo... no sé... dos años, uno y medio, uno, acaso menos... Como algo vislumbrado entre brumas.

Eustaquia.   Sueños. [6]

Fedra.   ¡Tal vez...! Y dime, ama, tú que tanto cono-
ciste a mi madre...

---

[5] Ms. Acto I. En ms. y *La Pluma* las escenas van simplemente
numeradas. En A. se repite "escena" y a continuación su número
romano correspondiente.

[6] Ms. *sueños*...

EUSTAQUIA.   *(Tristemente.)* Sí... [7]

FEDRA.   ¿Cómo era?

EUSTAQUIA.   Te he dicho más de cien veces que dejemos eso.

FEDRA.   No, no podemos dejarlo y menos ahora; necesito de estos recuerdos.

EUSTAQUIA.   *(Aparte.)* Si lo supiera todo...

FEDRA.   Nunca has querido hablarme de mi madre. [8]

EUSTAQUIA.   ¿No lo he sido, no lo soy para ti yo?

FEDRA.   ¡Pero la otra, la que me llevó en sus entrañas...! ¿Qué fatídica niebla vela su memoria? ¿Por qué me lo callas, Eustaquia? *(Abrazándola.)* Vamos, háblame de ella...

EUSTAQUIA.   *(Acariciándola.)* Ten juicio, hija, ten juicio. ¿A qué viene ahora esto?

FEDRA.   ¿Y me lo preguntas tú, tú, Eustaquia, tú? Ahora, en estos días de lucha, es cuando más necesito de su memoria. Dime, ¿luchó ella?

EUSTAQUIA.   ¡Déjalo, Fedra!

FEDRA.   Es decir que sí, [9] que luchó. Y dime, ¿venció acaso?

EUSTAQUIA.   ¿Y qué es vencer?

FEDRA.   Eso me digo también yo: ¿qué es vencer? Acaso vencer es lo que dicen ser vencida...

EUSTAQUIA.   ¡Fedra!

FEDRA.   En fin, murió. [10] Luego, aquella infancia que se me borra como un sueño de madrugada... Después el convento en que me educaron las madres... ¡Ojalá hubiese entrado para siempre en él! A punto de ello estuve, ¡quería tanto a la madre Visitación! Pero pudiste más tú, Eustaquia, y no sé si te lo agradezco... [11]

EUSTAQUIA.   Ni yo...

FEDRA.   Y vino mi matrimonio con Pedro, tú sabes mejor que nadie cómo. Fui vencida por su generosidad y entré

[7] Ms. y *La Pluma: Síii...*
[8] Ms. *madre...*
[9] A. *Es decir, que sí,*
[10] Ms. *ella* (tachado) *murió*
[11] A. *agradezca...*

en esta casa, la de Hipólito... Empezó llamándome "madre". ¡Madre! ¡Qué nombre tan sabroso! ¡Cómo remeje las entrañas! Pero... ¡la fatalidad! ¡la fatalidad!

EUSTAQUIA.   ¡Hablar de fatalidad es querer ser vencida, Fedra!

FEDRA.   Y era él, su padre, mi marido, el que al principio, viéndole tan encogido y tímido, le decía para animarle: "anda, hijo, da un beso a tu nueva madre... ¡a tu madre!" ¡Aquellos besos...! ¿No ves aquí, ama, la mano de la fatalidad o de la Providencia?

EUSTAQUIA.   Te veo en mal camino.

FEDRA.   Eso es lo malo, ama, el camino, pero una vez que se llega...

EUSTAQUIA.   ¿A dónde?

FEDRA.   ¡Adonde sea, qué sé yo..., al destino!

EUSTAQUIA.   No digas eso, por la Virgen Santísima.

FEDRA.   A ella pido ayuda y consuelo en mi aflicción... Pero no puedo más, ama, no puedo. Cada vez que llamándome madre me besa al despedirse, una ola de fuego me labra la carne toda, se me aprieta el corazón y se me anuda la garganta. Y debo de ponerme blanca, ¿no? blanca [12] como una muerta...

EUSTAQUIA.   Te he dicho que le esquives. Esas cosas salen a la cara.

FEDRA.   ¿Lo habrá echado de ver él, Hipólito, ama? ¿Lo habrá advertido su padre, mi marido?

EUSTAQUIA.   No lo creo, pero más tarde o más temprano... ¡Hay que acabar con eso!

FEDRA.   Sí, tienes razón, voy a acabar con ello; pero ¿sabes cómo, ama?

EUSTAQUIA.   ¡No [13] quiero saberlo!

FEDRA.   Es que lo sabes ya. [14]

EUSTAQUIA.   Fedra, Fedra, este amor culpable...

FEDRA.   ¿Culpable? ¿Qué es eso de amor culpable? Si es amor no es culpable, y si es culpable...

[12] A. *Blanca*
[13] Ms. *Ni*
[14] Así todas las eds., excepto F.: *¿Es que lo sabes ya?*

EUSTAQUIA. ¡Claro, no es amor!

FEDRA. ¡Ojalá no lo fuese!

EUSTAQUIA. ¡Ay, hija, la más grande de las culpas es el amor!

FEDRA. ¡No puede ser, ama, no puede ser! He querido resistir..., ¡imposible! Pido consuelo y luces a la Virgen de los Dolores, y parece me empuja...

EUSTAQUIA. ¡Por Dios, no desbarres!

FEDRA. ¡Es que no soy yo, ama, no soy yo!

EUSTAQUIA. ¿Pues quién?

FEDRA. No lo sé; alguna otra que llevo dentro y me domina y arrastra...

EUSTAQUIA. *(Aparte.)* ¡Como su madre!

FEDRA. Y tú te empeñas en no darme el consuelo y sostén de decirme cómo luchó y venció mi madre...

EUSTAQUIA. ¡Hablemos de otra cosa!

FEDRA. Esto es providencial. Pedro... [15]

EUSTAQUIA. Piensa en él, tan bueno, tan noble...

FEDRA. Pensar... pensar... ¿de qué sirve pensar sólo? ¡Con pensar no se hace nada...! Muy bueno, muy noble, muy amante, pero es el medio de que para traerme a su hijo, a convivir con Hipólito, [16] se ha valido la Providencia...

EUSTAQUIA. Di el Demonio más bien...

FEDRA. ¡Qué más da...! Pero no puedo más y voy a acabar. Viviendo con él, cada día a su lado en la mesa, viéndole cuando acaba de levantarse de la cama, con el sueño todavía en los ojos... ¡es como una llovizna continua, cala hasta el tuétano! Y luego, a los besos de costumbre heme hecho ya, pero cuando al pasar me roza... ¡qué cerco!

EUSTAQUIA. Resiste, hija, resiste.

FEDRA. No cabe resistencia. Esto así, contenido, me abrasa; revelado se curaría mejor. ¡Está escrito! ¡Es fatal! Y si al menos tuviese un hijo que me defendiera...

---

[15] *La Pluma,* coma.
[16] Ms. *con él* (tachado).

EUSTAQUIA. Haz cuenta...

FEDRA. ¡Oh, no, no! ¿Él? ¡No! Un hijo mío, de mis entrañas, uno a quien hubiese dado mi pecho. *(Estremeciéndose.)* ¡pero a Hipólito...!

EUSTAQUIA. *(Cubriéndose la cara.)* ¡Lo que se te ocurre! Estás poseída, embrujada; creería en un bebedizo...

FEDRA. ¿Y por qué no? Los que no sienten, los que no viven, los que no aman ni sufren llaman superstición a eso del bebedizo. ¿Qué más bebedizo, di, que su aliento esparcido por toda esta casa?

EUSTAQUIA. Piensa...

FEDRA. Otra vez piensa...

EUSTAQUIA. Piensa, sí, que es el hijo de tu marido, que es tu hijo...

FEDRA. Y como a tal le quiero..., ¡no! ¡sí! ¿Cómo pueden juntarse los dos amores, o salir el uno del otro? Y luego a él, a Pedro, como a padre...

EUSTAQUIA. ¡Respétale, pues, como a tal!

FEDRA. Respeto..., respeto..., ¡qué triste, qué frío es eso del respeto! Cuando tengo que abrazar a Pedro veo en él, en sus ojos sobre todo, los de mi Hipólito..., [17] son los mismos, y me hago la ilusión...

EUSTAQUIA. ¡Calla!

FEDRA. Eso quisiera yo, que se me callase lo que llevo dentro...

EUSTAQUIA. *(Abrazándola.)* ¡Pobre hija mía! No sé qué decirte que no te lo hayas dicho ya tú antes. No es esta dolencia de las que se curan con palabras ajenas. Y luego se me sube mi mocedad al pecho..., recuerdos..., [18] sí, sí, es una fatalidad haber nacido mujer. Pero aquí viene tu marido y me retiro. *(Vase.)*

---

[17] AA. y E. *los de Hipólito...*
[18] AA. y E. *recuerdas...*

[ESCENA II]

FEDRA y PEDRO, su marido.

PEDRO.   *(Entrando.)* Buenos días, Fedra, ¿qué tal hoy?

FEDRA.   Mejor, Pedro, algo mejor.

PEDRO.   ¿Y esa jaqueca?

FEDRA.   ¡Bah! ¿quién hace caso de ella...?

PEDRO.   Cuídate; no te levantes tan temprano y sobre todo no te preocupes demasiado por cosas no merecedoras de ello. Eres en demasía [19] cavilosa, Fedra, le das sobradas vueltas a las cosas, y hay que tomarlas como vienen...

FEDRA.   No siempre es posible.

PEDRO.   ¡Y vivir, vivir! ¿E Hipólito?

FEDRA.   ¿Qué?

PEDRO.   ¿No ha vuelto aún Hipólito?

FEDRA.   No, todavía no ha vuelto.

PEDRO.   ¡Dichosa caza! Así se le van los días; hace tres que falta, y así se le van los años. Es bueno, honrado, trabajador, pero fuera de su trabajo parece no vivir sino para la caza. Corre el tiempo, nosotros solos con él, yo caminando a viejo y... ¡vamos!, te lo diré de una vez, Fedra, ¡sin perspectiva de nietos!

FEDRA.   ¡Pedro!

PEDRO.   He hablado de esto varias veces con Marcelo, que es quien me aconsejó cuando andaba tan delicadillo el chico lo de la caza, y Marcelo...

FEDRA.   ¡Dale con Marcelo...!

PEDRO.   Pero ¿por qué esa mala voluntad a mi mejor amigo? Dicen que es siempre así... ¿celos acaso?

FEDRA.   ¿Celos? ¿Yo? ¿De él? [20] no... pero...

PEDRO.   ¡Caprichos, pues! Bien, ¡se va el tiempo que vuela! A sus años debía Hipólito pensar ya en casarse.

FEDRA.   ¿Qué dices?

---

[19] A. *demasiado*
[20] A. *¿Celos yo? ¿De él?*

PEDRO.   Y no le he observado en camino de ello. Tú que por la edad tienes con él más confianza, tú que eres su confidente, su hermana más bien que su madre, ¿no le has oído nada de esto?

FEDRA.   ¡No, nada!

PEDRO.   ¿No habéis nunca hablado de ello?

FEDRA.   ¡Nunca!

PEDRO.   Pues es preciso que le abordes, Fedra, que le sonsaques su ánimo, que le hagas ver que hay una edad en que se debe pensar tomar estado y no vivir como un hongo, que yo pues no tengo hijos de ti, quiero tener nietos de él...

FEDRA.   Pero, Pedro, ¿cómo quieres que yo...? [21]

PEDRO.   ¿Tú? ¡Pues claro! Cosa más fácil... Si a ti no te atiende, ¿a quién atenderá? Porque él, tan seriote, tan esquivo, ese oso cazador y cazador de osos, contigo se ablanda. Te adora...

FEDRA.   ¿Lo crees, Pedro?

PEDRO.   ¿Que si lo creo? ¡Te adora! Él lo tapa, como sus sentimientos todos, pero adora en ti, no lo dudes. Y tú, tú le quieres como a un hijo propio, ¿no?

FEDRA.   ¡Le quiero, sí, le quiero con toda mi alma!

PEDRO.   ¡Ya sabía yo bien al tomarte por mujer que él recobraría madre! Es, pues, menester que abordes con él ese punto, y creo que le persuadirás. ¡Aquí viene!

[ESCENA III]

DICHOS e HIPÓLITO, que entra en traje de caza, [22] deja la escopeta a un lado, abraza a su padre y luego a FEDRA, que le retiene un momento.

PEDRO.   (*Aparte, al ver cómo Fedra retiene a Hipólito.*) La convencí; hoy le aborda.

---

[21] Ms. sin signos de interrogación.

[22] A. FEDRA, PEDRO e HIPÓLITO HIPÓLITO *entra en traje de caza:* (Así también AA. y E. aquí y en el resto de las acotaciones.)

HIPÓLITO   ¿Qué ataque de ternura [23] es éste? ¿Qué tramabais?

PEDRO.   Que no nos abandones tanto, hijo...

HIPÓLITO.   Ya sabes, padre, que necesito de la caza. Debo al aire del campo la vida y aborrezco la ciudad. ¡O el hogar, esta nuestra casita, o el monte!

FEDRA.   ¡Pues el hogar!

HIPÓLITO.   Hay que salir de él para mejor quererle y apreciarle. Los hombres caseros, comineros, suelen serlo por egoísmo. El que se encierra en casa es para mejor molestar a los suyos, por falta de valor para luchar con los de fuera. Hay que salir de casa para gustar todo su encanto, ¿y adónde mejor que al monte? ¿Hay sociedad como la de los robles? La vida de campo, bajo el cielo libre, al aire libre, sobre la santa y libre tierra, mejora al hombre. Allí no hay odios ni envidias; los robles, los arroyos, las rocas no envidian, no odian...

FEDRA.   ¡Ni aman!

HIPÓLITO.   ¿Que no aman...? ¡No, como nosotros no! [24] Y por eso nos purifican y elevan. La naturaleza [25] no sufre fiebres ni necesita luchar para querer. Por eso es el verdadero templo de Dios. Cuánto mejor, madre, que fueses más a él que no al otro... [26]

FEDRA.   ¿Contigo? ¡Cuando quieras!

HIPÓLITO.   Sí, tengo algún día que llevarte conmigo de caza...

FEDRA.   ¡Sí, sí!

PEDRO.   No me parece mal...

HIPÓLITO.   Conmigo de caza. Ya verás cuando te tumbes al pie de un roble, cara al cielo, cómo se te curan esas aprensiones y se te acaban esas palpitaciones de corazón. No hay como el campo, ¡allí se ve todo claro!

FEDRA.   ¡Pues quiero ir contigo a él para que lo veamos todo claro!

---

[23] AA. y E. *locura*

[24] A. *¡No como nosotros, no!*

[25] A. *Naturaleza*

[26] A. y las demás eds. suprimen: *que no al otro*

Hipólito.   Y yo creo traeros del campo algo de su aliento, ¿no es así? ¿No oléis a tomillo, a mejorana cuando entro?

Fedra.   *(Husmeando.)* Sólo huelo a ti.

Hipólito.   O queréis que sea como ésos...

Pedro.   No condeno tu afición, hijo. Es una de las más nobles y te libra de vicios. Pero entre esos libertinos que ensucian su hogar y tu braveza y despego rústicos...

Hipólito.   ¿Despego yo? ¿Yo braveza? ¿Por qué? ¿Porque no ando con arrumacos y²⁷ lagoterías? El cariño no es babosería ni violencia...

Fedra.   Hombre, no cabe decir eso así, tan en redondo...

Hipólito.   Pues sí, en redondo, el amor no es violencia.

Fedra.   Es que hay amores que no se concibe²⁸ sino violentos...

Hipólito.   Te empeñas, madre, en no comprender la ternura, aun sintiéndola. Eres demasiado exaltada en tus sentimientos...

Fedra.   ¿Demasiado? Cosas hay en que no cabe demasía, creo...

Hipólito.   Cuando vayas conmigo al campo, madre, verás si se te curan las demasías...

Pedro.   ¡Bueno, basta de metafísicas! Yo, Hipólito, no dudo de que nos quieres, ¡pero obras son amores y no buenas razones...!

Hipólito.   ¿Obras? ¿Qué quieres de mí, padre? ¿Qué queréis de mí? ¿Qué tramabais?

Pedro.   ¡Ya te lo dirá tu madre!

Hipólito.   Madre, ¿qué es esto? ¿Qué significan las palabras de padre?

Fedra.   Ya te lo diré...

Hipólito.   ¡Dímelo! ¡Ahora!

Pedro.   Bien, os dejo.

Hipólito.   ¿Para qué? ¡No! ¡Quédate!

²⁷ A. *ni*
²⁸ A. *conciben*

PEDRO.   Os explicaréis mejor a solas.
HIPÓLITO.   Si es conjura... ¡bueno! *(Vase Pedro.)*

[ESCENA IV]

FEDRA e HIPÓLITO.

HIPÓLITO.   Y bien, ¿qué es ello, madre? ¿Callas? ¿Qué es? *(Poniéndole una mano sobre el hombro,* [29] *a lo que ella se estremece.)* ¡Vamos, habla! Tu beso me pareció antes más largo, más apretado...
FEDRA.   Y acaso más caliente...
HIPÓLITO.   Tal vez. Me diste miedo con él. Hace algún tiempo que me das miedo; noto en ti algo extraño que me sobresalta, y luego esas palabras de padre... vamos, ¿qué es ello?
FEDRA.   Nada, un capricho...
HIPÓLITO.   ¿Caprichos padre? lo dudo...
FEDRA.   Dice que se siente solo...
HIPÓLITO.   ¿No estamos nosotros con él?
FEDRA.   Sí, pero dice que a tu edad...
HIPÓLITO.   No comprendo...
FEDRA.   Desea que vayas pensando ya...
HIPÓLITO.   ¡Ah, acabáramos, en casarme!
FEDRA.   ¡Eso! ¿Y tú?
HIPÓLITO.   ¿Yo?
FEDRA.   Sí, tú, tú no piensas en casarte, ¿no? [30]
HIPÓLITO.   ¡Por ahora, no! ¿Casarme? ¿Para qué? Y sobre todo no es ésa resolución que deba tomarse así, en principio y por principio; eso viene ello solo. Hay que dar al tiempo lo suyo. No es cosa de una vez resuelto casarse, echarse uno a buscar con quién. Y hoy por hoy, como no fuese con Diana... Ahora si, lo que dudo, llegase a enamorarme...

[29] AA. y E. *en el hombro*
[30] A. y AA. *Sí, tú. ¿Tú no piensas en casarte, no?* E. *Sí, tú. Tú no piensas en casarte, ¿no?*

FEDRA. Quién sabe...

HIPÓLITO. Claro, nadie puede decir "de este agua no beberé".

FEDRA. Quién sabe si no lo estás ya...

HIPÓLITO. ¿Quién? ¿Yo?

FEDRA. Esas cosas no se confiesan y menos a los padres...

HIPÓLITO. ¡A los padres tal vez no! Pero tú, en rigor de verdad, no eres mi madre...

FEDRA. ¡No, no lo soy, no!

HIPÓLITO. Aunque lo seas por ley y por cariño...

FEDRA. ¡Oh, por cariño! ¿Pero de veras no estás enamorado? Acaso tengas...

HIPÓLITO. ¡Te aseguro que no!

FEDRA. ¡Bah, bah! Este despego, este salir tanto de casa, por dos, por tres, por ocho y hasta por quince días con achaque de la caza... ¡Ah, Hipólito, Hipólito! a una... a una mujer no se le engaña...

HIPÓLITO. ¿Engañarte? ¿Yo? ¿A ti? Te juro que si llegase a enamorarme serías tú quien primero lo supiese...

FEDRA. ¡Oh, gracias, gracias, [31] Hipólito! Pero enamorarte... ¿de quién?

HIPÓLITO. ¿De quién? ¡Vaya una pregunta! No te entiendo, madre.

FEDRA. Ya me entenderás, Hipólito, ya me entenderás. Y si tú te casaras, si te hicieses de otra...

HIPÓLITO. Si me casara... ¿qué? *(Silencio.)* Vamos, di, ¿qué?

FEDRA. ¡Que no podría yo vivir viéndote de otra!

HIPÓLITO. *(Alarmado.)* ¿Cómo? ¿Qué? ¡No te entiendo bien, madre!

FEDRA. ¿Tú de otra? ¡Imposible!

HIPÓLITO. *(Arredrándose.)* ¡Madre!

FEDRA. *(Yendo hacia él.)* No me llames madre, por Dios, Hipólito, ¡llámame Fedra!

HIPÓLITO. ¡Fedra!

---

[31] Ms. repite tercera vez: *gracias*

FEDRA.   ¡No, así no! ¡No! ¡No así, Hipólito! ¿Me entiendes ahora?

HIPÓLITO.   No quisiera entenderte…

FEDRA.   ¿Lo ves claro ahora sin salir al campo?

HIPÓLITO.   ¡Ah! ¿Y era esto, esto, el calor de tus besos?

FEDRA.   Sí, esto era, Hipólito, esto; ven, mira…

HIPÓLITO.   ¡No! ¡No!

FEDRA.   Es la fatalidad, Hipólito, a la que no se puede, a la que no se debe resistir…

HIPÓLITO.   ¡Piensa en mi padre, Fedra!

FEDRA.   ¡Tu padre es quien me empuja a ti!

HIPÓLITO.   ¿Y era para esto, para esto para lo que te dejó ahora sola conmigo? ¿Para esto?

FEDRA.   Pues bien, sí, me he aprovechado, ¿lo ves? Él, él mismo me ha hecho romper mi secreto para contigo, él ha provocado que me salga a la boca el secreto del corazón.

HIPÓLITO.   ¡Y de la boca!

FEDRA.   ¡Sí, que brote en palabras el secreto de mis besos! Todo era hasta romper el nudo que ligaba mi lengua; ahora todo está claro y me siento libre, libre de un tremendo peso; ahora respiro…

HIPÓLITO.   Ahora empiezas a ahogarte, madre, y a ahogarme…

FEDRA.   De ti, sólo de ti depende, Hipólito. ¡Quiero ser tuya, toda tuya!

HIPÓLITO.   ¡No, lo que tú quieres es que sea tuyo yo!

FEDRA.   ¡Sí, mío, mío, mío y sólo mío!

HIPÓLITO.   Tu hijo…

FEDRA.   Pues bien, hijo, ¡ven a mis brazos!

HIPÓLITO.   ¡No, ya no! Me voy, y no volveremos a vernos a solas…

FEDRA.   ¿Que no? ¡Nos veremos, sí, y más que nos veremos! Hipólito, ven…

HIPÓLITO.   (Arredrándose.) ¡Antes querría verme con una jabalina acorralada!

FEDRA.   ¿Tan mala…, tan fea te parezco?

HIPÓLITO.   Estás loca, madre, loca perdida, y tu locura es contagiosa…

Escena de la representación de *Fedra*, por los actores María de Leza y Luis Prendes (5 de abril de 1973).

La Pluma

AÑO II. | MADRID, ENERO 1921 | NÚM. 8.

FEDRA

TRAGEDIA EN TRES ACTOS

PERSONAJES

Fedra.
Pedro, su marido.
Hipólito, hijo de Pedro y alumno de Fedra.
Eustaquia, nodriza de Fedra.
Marcelo, médico, amigo de Pedro.
Rosa, la criada.

L argumento generador de esta tragedia es el mismo del Hipólito de Euripides y de la Fedra de Racine. El desarrollo es completamente distinto del de ambas tragedias.

De los personajes de aquéllas sólo he conservado con sus propios nombres tradicionales a Fedra e Hipólito, la nodriza (τροφός) de Euripides, Oenone en Racine, ha cambiado en mi Eustaquia. En Euripides figuran además Venus, Diana, Teseo, dos nuncios, criados y un coro de mujeres trezenias y en Racine, Teseo, Aricia, Teramenes, Ismena, Panope y guardias.

En la revista *La Pluma* (dirigida por Manuel Azaña y C. Rivas Cherif) fue publicada *Fedra*.

FEDRA. Pues ven, ven que te la pegue, y locos los dos, Hipólito, los dos locos...

HIPÓLITO. Y él, mi padre, imbécil, ¿no es eso? ¡No, adiós! Y no volveremos a vernos..., al menos a solas... ¡Adiós!

FEDRA. Espera, Hipólito, siquiera el de siempre, el de despedida, hijo...

HIPÓLITO. ¿Hijo? ¡Ya no! ¡Tuyo, no! ¡De él, de él siempre, de mi padre, de tu marido! Y... ¿el de siempre? no, sino el de nunca ya. ¡Adiós! ¡Pobre madre! *(Vase.)*

[ESCENA V]

[FEDRA, sola.] [32]

FEDRA. ¡Oh, yo le rendiré, yo! [33] No puedo más. Esto es más fuerte que yo. No sé quién me empuja desde muy dentro... [34] Aquel beso de fuego en lágrimas... ¿Y es el deber, es el amor filial o me desprecia? Sí, sí, me desprecia... Una jabalina acorralada... ¿tan fea soy? Quiere a otra, no me cabe duda, no es posible si no... Mas no, no, no, es leal, generoso, veraz. Sí, sí, es su padre. *(Cubriéndose la cara.)* ¡Qué horror! ¡Soy una miserable! ¡Loca, sí, loca perdida! [35] ¡Virgen mía de los Dolores, alúmbrame, ampárame! No puedo estar sola, llamaré con cualquier pretexto. La soledad me aterra. *(Llama.)* [36]

[32] Indicación de A., ausente de Ms. y *La Pluma*.
[33] Ms. *Oh, yo, yo le rendiré!*
[34] A. omite *muy*
[35] A. *¡Soy una miserable loca,*
[36] Ms. anticipa la acotación después de *sola*

[ESCENA VI]

FEDRA y ROSA, la criada.

FEDRA. Anda, Rosa, recoge eso y llévalo. Espera, di, ¿tienes novio?

ROSA. Sí, señorita.

FEDRA. ¿Y te piensas casar con él?

ROSA. ¿Si no, para qué le tendría? [37]

FEDRA. Es claro. Y dime, ¿le quieres mucho?

ROSA. Bastante...

FEDRA. ¿Nada más que bastante?

ROSA. Luego que nos casemos veremos...

FEDRA. ¿Y va a ser pronto?

ROSA. En cuanto él consiga una colocación que busca.

FEDRA. Eres demasiado joven [38] todavía.

ROSA. Pero si una no se casa joven, señorita...

FEDRA. ¿Qué?

ROSA. Qué sé yo...

FEDRA. Es verdad. Mira, te hago estas preguntas, Rosa, porque quiero ser la madrina de tu boda.

ROSA. ¡Señorita!

FEDRA. Sí, sí, eso me dará acaso buena suerte.

ROSA. ¡A nosotros más!

FEDRA. No sé, acaso... mas en fin yo os amadrinaré. Pero vete. (Aparte.) Siento pasos. (Vase Rosa.)

[ESCENA VII]

FEDRA y MARCELO.

MARCELO. (Entrando.) ¿Qué? ¿Cómo va la paciente?

FEDRA. ¿Paciente? ¿Le he llamado yo acaso?

MARCELO. El buen médico no debe esperar a que se le llame...

---

[37] Ms. *Si no para qué le tendría...*
[38] A. *muy joven*

FEDRA.   ¿Médico? ¿Y bueno?

MARCELO.   A ver hoy el pulso.

FEDRA.   No, es por tomarme la mano.

MARCELO.   Bueno, ya sé bastante.

FEDRA.   ¿Qué es eso? ¿Qué dice usted? ¿Qué es lo que sabe? Y con qué derecho usted, el amigo íntimo y de la infancia de mi Pedro, el que entra aquí como en su propia casa...

MARCELO.   ¿Y con qué derecho supone usted, Fedra, lo que calla?

FEDRA.   ¡Oh, no se le escapan ciertas cosas a una mujer...!

MARCELO.   ¡Enamorada, lo sé!

FEDRA.   ¿Cómo? ¿Qué es eso de enamorada?

MARCELO.   De su marido, ¡claro está!

FEDRA.   ¡Basta, basta! *(Aparte.)* Hay secretos que revientan por los ojos.

[ESCENA VIII]

DICHOS y PEDRO. [39]

PEDRO.   *(Entrando.)* ¡Hola, [40] Marcelo!

MARCELO.   Bien, ¿y tú, Pedro?

PEDRO.   Bien. Vi salir a Hipólito, Fedra, y me parece que iba preocupado, inquieto; no contestó acorde a lo que le hablé... ¿Le abordaste?

FEDRA.   Sí...

PEDRO.   Y nada, no quiere oír hablar de eso...

MARCELO.   Vaya, me voy, pues tenéis que hablar...

PEDRO.   No, Marcelo, no es nada. Y a ti [41] podemos decírtelo todo. Es sólo que me parece es ya hora de que Hipólito [42] vaya pensando en casarse, en traernos primero

---

[39] A. FEDRA, MARCELO Y PEDRO

[40] Ms. *Ola*

[41] Ms. añade: *que eres como de casa* (tachado)

[42] AA. y E. *es ya hora que Hipólito*

nuera, después... quién sabe... nietos, y encargué a Fedra, que de tanto ascendiente sobre él goza, le [43] abordase ese punto...

MARCELO.   Muy delicado...

PEDRO.   ¿Y qué dice?

FEDRA.   No quiere oír hablar de ello...

PEDRO.   En fin, ya me lo contarás, porque sacaba una cara...

MARCELO.   *(Aparte.)* ¡Pobre Pedro!

FEDRA.   Sí, ya te lo contaré, pero ahora... *(Aparte.)* No me voy, no le dejo con él.

MARCELO.   Repito que me voy, pues tenéis que hablar...

PEDRO.   No, tú eres como de casa.

FEDRA.   *(Aparte.)* ¡Qué ceguera!

MARCELO.   Los que son *como* de casa sin ser de ella estorban más. O se es o no se es; pero lo de *como* si se fuese...

PEDRO.   Pues bien, ¡tú eres de casa!

MARCELO.   ¿Uno más?

FEDRA.   *(Aparte.)* ¡Qué bruto! *(Alto.)* ¡Vaya, me voy!

MARCELO.   No, yo. ¡Adiós! *(Vase.)*

[ESCENA IX]

FEDRA y PEDRO.

PEDRO.   Y bien, ¿qué dijo?

FEDRA.   Dijo...

PEDRO.   ¿Qué?

FEDRA.   Que no piensa en eso; no [44] está enamorado... ¿Para qué casarse?, dijo...

PEDRO.   ¿Luego no le convenciste?

FEDRA.   No le convencí, ¡no!

[43] A. *que le*
[44] A. *que no*

PEDRO. ¿Para cuándo, pues, tu persuasión? ¿tú, que siempre me persuades de cuanto se te antoja? ¡Ah, Fedra, es que no pusiste ni empeño ni calor en tu demanda...!

FEDRA. ¿Que no?

PEDRO. No, no, porque tú eres de las que consiguen cuanto se proponen. Si hubieras sabido hablarle al corazón...

FEDRA. ¡Calla, Pedro! ¡Calla, calla!

PEDRO. ¿Lo ves? Tampoco tú quieres que se case, tampoco tú...

FEDRA. ¿Yo?

PEDRO. Sí, tú; no quieres otra mujer en casa, no quieres nuera...

FEDRA. Pedro, ¿qué dices?

PEDRO. Sí, estoy harto de saber que las madres suelen tener celos de sus nueras, pero yo creía que tú, Fedra, tú, siquiera por mí...

FEDRA. *(Cubriéndose la cara.)* ¡Calla, calla, calla!

PEDRO. Bien, egoístas todos... egoísta él, egoísta tú... al fin sois jóvenes y en tanto el pobre viejo...

FEDRA. *(Yendo a él y abrazándole.)* ¡Pedro!

PEDRO. ¡Convéncele, Fedra, convéncele!

FIN DEL ACTO PRIMERO

ACTO SEGUNDO

[ESCENA I]

Fedra y Eustaquia.

Eustaquia. Pero, hija mía, te veo enflaquecer, ir...

Fedra. Muriendo, ama, muriendo. Esto no es vivir. No sé qué hacer para defenderme.

Eustaquia. Acude a la oración, hija, reza...

Fedra. No me brotan las oraciones libremente. Alguna vez [45] he intentado rezar, pero se me resiste, pienso en otra cosa, en él, y esto me parece sacrilegio... No es posible, no... me faltan ganas de rezar...

Eustaquia. Aunque sea sin ganas... Además, eso te distraerá...

Fedra. No, eso me enciende más... Mira, ama, en estos últimos tiempos, antes del día aquel, temiendo estallar al cabo si con él me encontrase a solas, cada vez que a punto de ello estaba santiguábame antes para que la santa señal de la cruz me defendiese y apretaba contra mi pecho esta santa medalla, la de mi madre, que me diste. Pero un día, buscando ese estallido, deseando salir de una vez de aquel [46] infierno, dejé de santiguarme para tener valor de declararme, pero aquel día estuve más encogida, más aza-

---

[45] Así en ms. *La Pluma: Algunas vez* y A.: *Algunas veces*
[46] A.: *del*

rada; a cada momento sentía [47] ganas de ir a un rincón para santiguarme allí a hurtadillas...

EUSTAQUIA.   ¿Por qué no lo hiciste ante él?

FEDRA.   Habría sido tanto como declararme. No, no podía, y echaba de menos la santa señal... ardíame la frente como pidiéndomela... me faltaba la cruz...

EUSTAQUIA.   ¡Y era esa cruz que no tomaste [48] sobre la frente la que te protegía!

FEDRA.   ¿Mas ahora? Ahora nada sirve una vez roto el nudo de la lengua... Rezar... rezar... con estas cosas no sé ya si creo o no... Pero rezo, rezo a la Virgen Santísima de los Dolores...

EUSTAQUIA.   Reza a su hijo...

FEDRA.   ¿A quién? ¿Al hijo? ¡No! ¡No! Desde que abrí mi pecho a él, a Hipólito, quémanme sus miradas. Y él me las hurta y me esquiva y ya no me besa. No le creí tan astuto como para encubrir a su padre que no me besa ya como antes me besaba.

EUSTAQUIA.   Lo que yo me temo es que al cabo su padre se percate de ello...

FEDRA.   Acaso sea lo mejor...

EUSTAQUIA.   ¿Qué dices?

FEDRA.   Que así no se puede vivir, ama. O se me rinde o se va de casa; le echo de ella. Verás en cuanto le amenace. ¡Ahí va! *(A Hipólito, que pasa por el fondo.)* ¡Hipólito! *(Yendo hacia él.)* ¡Hipólito!

[ESCENA II]

DICHAS e HIPÓLITO. [49]

HIPÓLITO.   *(Entrando.)* ¿Qué me quieres? ¡Acaba!

FEDRA.   Tengo que hablar contigo a solas.

HIPÓLITO.   Pues habla y acaba.

---

[47] A.: *tenía*
[48] AA. y E.: *formaste*
[49] A.: FEDRA, EUSTAQUIA, HIPÓLITO

FEDRA.   No, pero a solas contigo.

HIPÓLITO.   ¡A solas ya te he dicho que no!

FEDRA.   *(Cogiéndole.)* ¡Sí, vete, ama, vete!

EUSTAQUIA.   Pero, hija…

FEDRA.   Vete, si no doy voces, llamo a Pedro y se lo digo todo, todo…

EUSTAQUIA.   ¿Serías capaz?

FEDRA.   Ahora soy capaz de todo. O hablamos a solas una vez o me confieso a tu padre, Hipólito.

HIPÓLITO.   Pero ¿para acabar?

FEDRA.   ¡Para acabar, sí! Vete, ama.

HIPÓLITO.   ¡Váyase!

EUSTAQUIA.   Me quedaré aquí fuera…

FEDRA.   ¿Cómo? ¿Qué? ¿En mi casa? Es que se me trata como a una…

EUSTAQUIA.   ¡Fedra!

FEDRA.   ¡Vete, ama, vete o será peor!

HIPÓLITO.   Váyase, ama, sí, váyase. Me basto y me sobro yo solo. Y menos mal si así se acaba de una vez esto, porque no es ya vivir. *(Vase Eustaquia.)*

[ESCENA III]

FEDRA e HIPÓLITO.

HIPÓLITO.   ¡Bien, acaba!

FEDRA.   ¡Hipólito!

HIPÓLITO.   ¿Qué, volvemos a empezar?

FEDRA.   ¡Sí, vuelvo! Mira que no como, que no duermo, que no vivo, que tus ojos me queman, que muero de la sed de tus besos, que esto es el suplicio de Tántalo… ¿Por qué no me besas como antes, Hipólito?

HIPÓLITO.   ¿Y me lo preguntas, madre?

FEDRA.   Así no puedo vivir…

HIPÓLITO.   ¡Ni yo tampoco!

FEDRA.   ¿Lo ves? ¡Y tenemos que vivir, vivir ante todo! Para algo somos jóvenes…

HIPÓLITO.   Y él viejo, ¿no es así?

FEDRA.   ¡No le nombres, Hipólito!

HIPÓLITO.   Sí, le nombraré, pues que [50] su nombre es todavía para ti, pobre madre, un conjuro. Pedro, tu marido, mi padre...

FEDRA.   ¡Calla, calla! No puedo vivir, no vivo así, viéndote a diario, sintiéndote cerca de mí, bajo el mismo techo, de día y de noche, respirando el aire mismo que respiras, tu aliento. Desde que...

HIPÓLITO.   Pero ¿cómo empezó esto, madre?

FEDRA.   ¡No empezó! Te quise siempre, desde antes de conocerte, y luego que una vez casada te vi por vez primera, estalló...

HIPÓLITO.   Los amores sanos no nacen sino como en el campo el amanecer, poco a poco...

FEDRA.   ¡No, poco a poco ya no! ¡de una vez!

HIPÓLITO.   Pues mira, me iré, pretextaré algo para un largo viaje y en tanto te curarás.

FEDRA.   ¡No, no te irás, no quiero que te vayas, y no me curaré, no quiero curarme! Pero... ¡resistamos, sí, resistamos... tienes razón! ¡Mas tus besos, Hipólito, tus besos! Siquiera los de antes... [51]

HIPÓLITO.   Aquéllos no pueden volver, ¡les arrancaste su inocencia!

FEDRA.   ¿Con que no, eh? ¿Con que no? Pues bien, oye y fíjate, mis últimas palabras, las definitivas; óyelas y piensa bien en ello. Tu padre ha debido de notar ya que no me besas; tu padre ve mi demacración y mi desasosiego; tu padre aunque se [52] calla ha de sospechar ya algo, lo sospecha, ¡y se lo he de decir yo... yo... yo!

HIPÓLITO.   ¿Qué vas a decirle?

FEDRA.   ¡Que eres tú quien me solicita!

HIPÓLITO.   ¡Fedra! ¡Fedra!

---

[50] A. omite *que*
[51] AA. y E.: *quisiera los de antes...*
[52] A. omite *se*

FEDRA.   *(Arrogante.)* Sí, le [53] diré que eres tú y esta casa se os convertirá en un infierno, ya que no quieres sacarme de él... ¡se lo diré!

HIPÓLITO.   ¡Maldita seas! *(Vase.)*

[ESCENA IV]

FEDRA y PEDRO.

PEDRO.   *(Que ha oído las últimas palabras de su hijo, entrando.)* ¿Qué es eso, Fedra? ¿Qué ha dicho? ¿Qué es lo que ha dicho nuestro hijo? ¿Callas? ¿He oído bien? ¿No te maldecía? ¡Vamos, Fedra, habla!

FEDRA.   Querellas domésticas...

PEDRO.   No, no, no, esas palabras en mi hijo tan comedido siempre, tan cariñoso, tan dueño de sí... Desde el día aquel en que le abordaste por lo de su casamiento observo entre vosotros dos yo no sé qué... parece rehuirte... ¿qué es ello? ¡Vamos, habla! ¿Qué ocurre en esta casa antes tan tranquila?

> (FEDRA *apoya la cabeza en el pecho de su marido y rompe a sollozar.)*

PEDRO.   Vamos, cálmate, hija mía...

FEDRA.   *(Estremeciéndose.)* ¿Hija?

PEDRO.   Sí, podrías serlo... ¡Vamos, cálmate! Dime qué es ello. ¿Cómo él te maldecía así, él, mi Hipólito? ¿Y a ti que le quieres tanto...?

FEDRA.   Le quería...

PEDRO.   Le querías... ¿y ahora?

FEDRA.   Ahora...

PEDRO.   Vamos, ¿qué hay?

FEDRA.   Lo que hay es que tu hijo...

PEDRO.   ¿Mío? ¡Y tuyo...!

FEDRA.   ¡Ojalá lo fuese!

[53] A.: *se lo*

PEDRO. Pues...

FEDRA. Que no se siente ya hijo mío...

PEDRO. ¿Qué? ¿Te ha faltado al respeto?

FEDRA. Al respeto...

PEDRO. Vamos, ¿qué? Acaba... me tienes en ascuas...

FEDRA. Que tu hijo es casi de mi edad misma... podría ser mi hermano... mi marido.

PEDRO. ¿Qué? ¡Habla claro, Fedra!

FEDRA. ¿Más claro aún?

PEDRO. ¡No, más claro no, sobra! Ahora se me aclaran las nieblas de estos días. Hay cosas que no deben decirse. Pero, ¿es posible? ¡Vamos, di!

FEDRA. ¡Déjame, déjame!

PEDRO. ¿Y tú, Fedra, tú?

FEDRA. ¿Yo? Es que puedes creer...

PEDRO. No, no quiero creer... ¿y tú?

FEDRA. Figúrate lo que habré luchado... lo que lucho...

PEDRO. ¡Oh, mi hijo, mi propio hijo! Pero él también ha luchado... lucha... sí, sí, ¿qué es si no esa manía de la caza? Busca en ella el olvido de su pasión... ¡pobrecillo! Pero dime, ¿qué te ha dicho?

FEDRA. Decirme... poca cosa... casi nada...

PEDRO. Oh no, no, no; son recelos tuyos, figuraciones, suspicacias... ¿quién sabe? ¡Vanidades de mujer!

FEDRA. ¡Pedro!

PEDRO. ¡No, no puede ser! ¡No es!

FEDRA. Desgraciadamente, sin poder ser es.

PEDRO. ¿Y tú, Fedra, tú?

FEDRA. No te dije que lucho...

PEDRO. ¿Pero por qué?

FEDRA. Es al fin tu hijo, mi hijo...

PEDRO. Voy a llamarle y que se explique aquí, los tres cara a cara...

FEDRA. ¡Oh, no hagas eso!

PEDRO. ¿Cómo?

FEDRA. ¡No, déjale!

PEDRO. *(Llamando.)* ¿Eh, también tú?

FEDRA. Llámale, pues. *(Aparte.)* ¡Dame fuerzas, Virgen de los Dolores!

PEDRO.   *(A la criada que aparece.)* ¡Que venga Hipólito! Ahora se pondrá todo en claro. ¡Esto es horrible... no puede ser!

[ESCENA V]

DICHOS e HIPÓLITO. [54]

(Entra HIPÓLITO cabizbajo; FEDRA se cubre primero la vista con las manos, pero luego apoya la cara en las palmas y se le queda mirando fijamente.)

PEDRO.   ¿Por qué maldecías a tu madre, hijo? ¿Callas? Vamos, habla, ¿por qué la maldecías?

HIPÓLITO.   Ella te lo dirá, no yo, padre.

PEDRO.   Me lo ha dicho...

HIPÓLITO.   Entonces...

PEDRO.   ¿Y qué, no te defiendes? ¿No lo niegas? ¿Confiesas, pues, tu infame pasión?

HIPÓLITO.   Yo, padre, ni niego nada ni nada confieso.

PEDRO.   ¿Ah, con que además hipócrita? Te creía todo menos eso; en mi familia no los ha habido nunca...

HIPÓLITO.   Y ella, ¿por qué no habla ella?

FEDRA.   Yo, Hipólito, he hablado, he dicho cuanto tenía que decir, a ti primero, a tu padre después. ¿No he hablado claro?

HIPÓLITO.   ¡Sí, muy claro!

FEDRA.   ¿No te propuse la paz? Y tú te has empeñado en traer la guerra, tú. Es la fatalidad, bien lo sé, pero...

PEDRO.   Esto es monstruoso, lo que aquí pasa. Debiste, hijo, lo primero confiarte a mí, abrirme tu pecho...

HIPÓLITO.   ¡Perdón, padre, perdón!

PEDRO.   ¿Perdón? ¡Hay cosas imperdonables! ¡Y el perdón presupone arrepentimiento y penitencia!

---

[54] A.: FEDRA, PEDRO e HIPÓLITO

Hipólito.   ¡Sufriré la que me impongas!

Pedro.   No podemos ya vivir los tres bajo un mismo techo.

Hipólito.   Me iré de casa.

Fedra.   ¿Y qué dirá la gente?

Pedro.   ¡Diga lo que quiera! Aunque la gente no sabrá nada, no debe saber nada; esto ha de quedarse aquí, enterrado, entre los tres... ¡si no, haría algo que no puede decirse!

Fedra.   ¡Oh, no, todo se arreglará...!

Hipólito.   Cosas hay sin arreglo...

Pedro.   ¿Cómo? ¿Luego insistes? ¡Vete, Fedra, déjanos solos!

Fedra.   ¡Pedro, Pedro!

Pedro.   Déjanos, he dicho.

Fedra.   ¡Por Dios!

Pedro.   ¡Déjanos! *(Vase Fedra.)*

[ESCENA VI]

Pedro e Hipólito.

Pedro.   *(Tras un breve silencio.)* Pero, hijo, Hipólito, ¿cómo te has atrevido a poner ojos... ojos, y labios en tu madre? ¿Cómo has osado revelarle nada? ¿Era ésa tu caza? ¿Callas? ¡Vamos, habla, ven acá, confíate a mí! ¡Sí, sí, es una desgracia, lo sé...! ¿Qué? ¿Callas? ¿No lo niegas? ¡Oh, esto es horrible! ¿Qué has hecho, hijo, qué has hecho de la tranquilidad de tu padre? y yo que la traje a casa sobre todo por ti, [55] por ti, hijo, para que tuvieses madre...

Hipólito.   ¡Ojalá no la hubieses traído! ¡Pero te juro, padre, que soy inocente!

[55] A.: *para*

PEDRO.   ¿Inocente? ¿Inocente de qué? ¿Luego Fedra miente? ¡Habla! ¿Miente? luego... ¡ah! ¡eso es acusarla!
HIPÓLITO.   ¡Nunca, padre, nunca, nunca!
PEDRO.   ¿Inocente? ¡Ah, sí, comprendo... inocente... claro! ¡Pues no faltaba más! ¡Pero la inocente es ella... ella!
HIPÓLITO.   ¡Padre!
PEDRO.   ¡Vete y no volvamos a vernos; será lo mejor!
HIPÓLITO.   Padre... antes de irme...
PEDRO.   *(Se adelanta a él y luego arredrándose.)* ¡No, no, no, me quemarían la cara! ¡No, vete! *(Cúbrese la cara con las manos y solloza. Hipólito se va lentamente.)*

[ESCENA VII]

[PEDRO.] [56]

PEDRO.   ¡Imposible! ¡Él, él, mi hijo, mi hijo único! ¡Costó la vida a su madre, a su pobre y santa madre! Aquellos primeros años, cuando volvía yo a casa sobresaltado, imaginándome que le hubiese ocurrido algo y al llegar y encontrarle durmiendo tranquilamente en su cuna me inclinaba a pegar casi mi oído a su boca para sentirle respirar... ¡sí, estaba vivo! ¡Mi hijo, mi hijo único! ¿Será [57] un castigo por haberle dado madrastra, por no haber respetado mejor la memoria de su santa madre...? ¡Pero... me sentía tan solo! ¡No me bastaba él! ¿Y por qué no le casé con ella? ¡Oh egoísta, egoísta! No tuve paciencia a que me diese nietos, quise tener más hijos... ¡y de Fedra! ¡No le quise solo! ¡Fue la carne, la carne maldita! ¿Será esto un castigo? ¡Mi hijo, mi propio hijo, mi hijo único!

[56] A. añade PEDRO, solo. Ms.: Pedro. *La Pluma* prescinde de toda indicación.
[57] AA. y E.: *sería*

[ESCENA VIII]

FEDRA y PEDRO.

FEDRA.   *(Entrando.)* ¿Qué, se fue?

PEDRO.   Sí, se fue. ¡Y aún juraba su inocencia!

FEDRA.   ¿Cómo? Se atrevió...

PEDRO.   ¿A negar su falta? ¿A acusarte? ¡No! ¡Aún no ha llegado a eso; aún es mi hijo! Pero ven, Fedra, mírame a los ojos, ¡así! ¿Es verdad eso?

FEDRA.   ¡Sí, eso es verdad!

PEDRO.   ¿Y tú, Fedra, tú?

FEDRA.   Te he dicho que lucho...

PEDRO.   ¿Pero por qué?

FEDRA.   ¡Por domar mi corazón de madre!

PEDRO.   Y tú antes... vamos, antes de esa declaración, ¿no te habías percatado de nada?

FEDRA.   Hace tiempo...

PEDRO.   ¿Y cómo no me lo dijiste?

FEDRA.   Esperaba que el tiempo... la lucha...

PEDRO.   Y sabiendo eso consentías que te besase, le besabas... [58] ¿No ves que era echar leña al fuego...?

FEDRA.   Sí, pero otra cosa habría sido provocar antes de tiempo...

PEDRO.   ¿Antes de tiempo? Estas cosas deben ahogarse antes de tiempo. ¡Mi hijo, mi propio hijo! ¡Mi hijo único! Esto, Fedra, debe ser un castigo... [59]

FEDRA.   ¿Un castigo?

PEDRO.   Un castigo, sí, por haberte traído a mi casa, por haber querido tener de ti otros hijos, por no haber guardado mejor la memoria de su madre, de su santa madre...

FEDRA.   ¡Sí, yo tengo la culpa, yo!

---

[58] Seguimos la puntuación de ms. *La Pluma* añade aquí signo de interrogación y A. puntúa así: *Y sabiendo eso consentías que te besase. ¿Le besabas...?*

[59] Ms. y *La Pluma: debe ser,* corregido en A.: *debe de ser un castigo*

PEDRO.   ¿Cómo? ¿Tú? ¿Tú tienes la culpa?

FEDRA.   Sí, yo, por haber cedido a venir a tu hogar a cubrir el hueco que dejó otra mejor que yo; yo, por no haberos dejado solos a padre e hijo.

PEDRO.   ¿Quién tiene la culpa, Fedra, quién? ¿Él? ¿Tú? ¿Yo? ¿Quién sabe de culpas? ¿Qué quiere decir culpa? ¿Qué es culpa, di?

FEDRA.   (Mirando al suelo.) No sé...

PEDRO.   ¿No sabes lo que es culpa? ¡Fue la mujer, la mujer la que introdujo la culpa en el mundo!

FEDRA.   ¡Pedro!

PEDRO.   Alguien llega...

FEDRA.   Marcelo, de seguro. Éste llega siempre a destiempo y no quiero verle ahora...

PEDRO.   ¿Por qué, Fedra? ¿Sabe algo? ¿Sospecha algo?

FEDRA.   Me voy. Volveré así que se vaya. (Vase.)

[ESCENA IX]

PEDRO y MARCELO.

MARCELO.   ¿Qué? ¿Se ha salido Fedra?

PEDRO.   ¿Querías verla?

MARCELO.   Como médico, a ver cómo sigue...

PEDRO.   Agitada... ya ves... disgustos...

MARCELO.   Sí, y en ella por constitución de herencia una neurocardíaca...

PEDRO.   ¿Y qué, di, qué? Cuando te ha hablado de sus dolencias...

MARCELO.   Yo no soy confesor, soy médico, Pedro.

PEDRO.   Pero dime, tú eres mi mejor amigo, tú... ¿no es verdad? Tú eres como mi hermano...

MARCELO.   Como, otra vez como... Repórtate, Pedro, que no estás bueno hoy...

PEDRO.   ¡No, no lo estoy!

MARCELO.   Se te conoce y estando así no se debe querer hablar de ciertas cosas...

PEDRO.   ¿De qué cosas?

Marcelo.   Qué sé yo... de cosas de familia... íntimas...

Pedro.   Pero tú sabes, tú... [60]

Marcelo.   Yo sólo sé que estás, contra tu costumbre, fuera de ti, que tu mujer anda fuera de sí también hace algún tiempo y que tu hijo vive más dentro de sí que nunca; ¿te parece saber poco?

Pedro.   ¿Pero no sabes más?

Marcelo.   Ni debo. Y basta de esto. A otra cosa.

Pedro.   A otra cosa... a otra... y entras y sales aquí como en tu casa... ¡Oh, esta intimidad a medias...!

Marcelo.   Entonces me retiro...

Pedro.   Qué sé yo... pero no, ven, ven, te necesito, necesito dentro alguien de fuera, oye. ¡No estoy bueno, no! No sé lo que pasa en mi derredor. ¿Lo sabes tú? Pero cállalo, ¿eh? si lo sabes, ¡cállalo! ¡Que no lo sepa nadie, ni tú mismo! No, no sé lo que me digo. Hablemos de otra cosa.

Marcelo.   Sí, es lo mejor. ¿E Hipólito?

Pedro.   ¡Hipólito, otra cosa! ¿Qué? ¿Qué sabes de Hipólito? Vamos, di, ¿qué sabes de él? [61]

Marcelo.   ¿De tu hijo? De tu hijo apenas puedo saber cosa. No necesita de mis servicios.

Pedro.   ¿Lo crees?

Marcelo.   ¿Pues no he de creerlo? Tu hijo está sano, enteramente sano; es el único sano de la casa. Gracias al campo.

Pedro.   ¿Y de la cabeza?

Marcelo.   Perfectamente bien. Tu hijo es uno de los hombres más equilibrados, más dueños de sí, más serenos, más sanos que conozco. Pocos padres más afortunados que tú...

Pedro.   Pues mira, Marcelo, tengo motivos para sospechar que no anda bien de la cabeza.

Marcelo.   Quien no anda bien de ella eres tú, y esa tu sospecha me lo confirma.

Pedro.   Es que no sabes...

[60] E.: *¿Pero tú sabes, tú...?*
[61] Hay una posible lectura del ms.: *Vamos, sí, ¿qué sabes de él?*

MARCELO.   Acaso quien no sepa eres tú...

PEDRO.   ¡Habla más claro, Marcelo, sin enigmas!

MARCELO.   Enigmas los tuyos, Pedro. Y te dejo. Donde hay enigmas sobre yo; soy incompatible con la Esfinge. Te dejo. He llegado en mal hora. Adiós.

PEDRO.   ¡No, no, quédate!

MARCELO.   No me quedo; estorbo. Hasta pronto.

PEDRO.   Y de esto, Marcelo, sabes, de esto...

MARCELO.   ¿De qué?

PEDRO.   De lo que no sabes, ni palabra, ¿eh? ¡Ni palabra!

MARCELO.   ¡Pedro!

PEDRO.   Si no... si no... en fin, no sé, ¡vete! *(Tomándole la mano.)* No sabes nada, nada, nada...

MARCELO.   Demasiado sé con no saber nada...

PEDRO.   Del enigma... ¡ni palabra! Si no...

MARCELO.   ¡Adiós! *(Vase.)*

[ESCENA X]

[PEDRO] [62]

PEDRO.   ¡Qué infierno! ¿Sabrá algo? ¿Sospechará algo? ¿Pero no soy yo, yo quien me delato? Habrá que negar a todo el mundo la entrada en esta casa. Una cárcel... un sepulcro... Que nadie lo sepa, que nadie lo sospeche ni barrunte, que nadie lo adivine. ¡El honor ante todo! *(Vase.)*

[ESCENA XI]

[FEDRA] [63]

FEDRA.   *(Entrando.)* ¡Ah, se han ido los dos! ¿Qué es lo que he hecho? Estaba loca, loca, no sé lo que me hago...

[62] Ms.: Pedro. A.: PEDRO, *solo* y *La Pluma* omite toda indicación.

[63] Véase la nota anterior. A.: FEDRA, *sola, entrando* (aunque así se repite la acotación).

[ESCENA XII]

Fedra y Rosa

Rosa. *(Desde la puerta.)* Señorita…

Fedra. Entra, Rosa, entra. *(Aparte.)* Así no estaré sola… conmigo.

Rosa. Querría decirle…

Fedra. Habla sin miedo, ¿qué?

Rosa. Como no ha vuelto a decirme nada de aquello…

Fedra. ¿De qué? ¿De qué no te he dicho? ¡Vamos, habla!

Rosa. ¿Pero no se acuerda, señorita?

Fedra. ¿De qué es lo que no me acuerdo? ¡Anda, di!

Rosa. Pues… de lo de amadrinar mi boda…

Fedra. ¡Aaah! Sí, sí, dispensa, Rosa, ¡es verdad! ¡No me acordaba ya de ello! Ya ves, con tantas cosas y con esta pobre cabeza… Y bien, ¿qué? ¿Persistís en ello, en que sea yo vuestra madrina?

Rosa. ¿Nosotros? Eso queremos saber, si sigue usted en ello…

Fedra. ¿Yo? Pues mira, Rosa, no es por volverme atrás, ¡no! ¡no! ¡no! Yo no soy de las que se vuelven atrás, ¡no! ¿lo entiendes? Yo cuando digo una cosa la sostengo, ¿sabes? Sí, la sostengo…

Rosa. ¿Pero es que lo he puesto yo acaso en duda?

Fedra. ¡No, no, tú no lo has puesto en duda, no, tú no! Pues bien, sí, seré si queréis la madrina de vuestra boda, pero me parece que no os conviene…

Rosa. ¿A nosotros?

Fedra. No, no os conviene. Yo llevaría la mala suerte a vuestro matrimonio; seríais infelices; yo tengo mala mano, muy mala mano…

Rosa. Aprensiones, señorita…

Fedra. ¡Desgraciadamente no!

Rosa. Como me lo prometió…

Fedra. Es verdad, te lo prometí, pero desde entonces acá…

Rosa.   Sí, ya he notado que la señorita se está volviendo otra...

Fedra.   ¿Cómo? ¿Qué? ¿Qué es lo que has notado? ¡Di!

Rosa.   Nada... nada...

Fedra.   Vamos, di, ¿qué has notado! ¡Dilo!

Rosa.   ¡Por Dios, que me da miedo...!

Fedra.   ¿Miedo? ¿Yo? ¿De qué? ¡Vamos, habla!

Rosa.   ¡No, no, no se puede seguir más en esta casa! *(Huye.)*

[ESCENA XIII]

[Fedra sola] [64]

Fedra.   *(Que hace ademán de seguir a Rosa, pero se detiene.)* ¡Bah! ¡Por una criada! Estoy loca, loca perdida. Yo misma me delato. No se puede seguir así; hay que acabar y acabar de una vez y del todo. Tengo que dejarles en paz y quedarme en paz también yo... en la única paz para mí ya posible... ¡en la última paz, en la que no acaba, en la paz eterna!

Fin del acto segundo

---

[64] *La Pluma* omite la acotación.

ACTO TERCERO [65]

[ESCENA I]

FEDRA, muy débil, casi moribunda, apoyándose en el brazo de EUSTAQUIA. [66]

FEDRA.   ¡Por fin va a acabarse esta tortura! ¡Llega la hora del descanso!

EUSTAQUIA.   Pero, ¿qué has hecho, hija mía?

FEDRA.   No podía vivir más, no podía vivir en este infierno; padre e hijo enemistados por mí y sobre todo sin Hipólito, ¡sin mi Hipólito! Mas ahora vendrá ¿no? Ahora vendrá a verme morir, a darme el beso de viático... el último... ¡No! ¡El primero! Ahora vendrá a perdonarme, ¿no es así, Eustaquia?

EUSTAQUIA.   Sí, se le ha llamado, y Pedro en su fondo ansiando verle, y en vista de tu estado, dio su venia...

FEDRA.   Vendrá... vendrá... Ahora siento lo hecho; ahora quiero vivir, vivir, vivir, pero con él, ¡sin él no! ¡Me moría... no podía más! Cada vez que iba a su cuarto, hoy ya de él vacío, a llorar allí y desesperarme, junto a la que fue su cama, se me rompía el corazón... Y luego ese Marcelo, ese terrible Marcelo... su mirada penetrábame hasta lo más hondo; era mi demonio de la guarda, mi acusador. Ha adivinado mi secreto, lo sé, tenía que adivinarlo.

[65] No conservamos, por el momento al menos, el resto del manuscrito. Véase Nota Previa de esta ed.
[66] A. antepone: FEDRA y EUSTAQUIA

EUSTAQUIA.   No es lo peor eso.

FEDRA.   Y ahora, ante la muerte, podré decir la verdad, toda la verdad a Pedro. Y ellos, padre e hijo, vivirán en paz y sin mí, sobre mi muerte. ¿Se acordarán de este mi sacrificio? Un último favor, Eustaquia, ¿me lo concedes?

EUSTAQUIA.   Habla.

FEDRA.   No. ¿Me lo concedes?

EUSTAQUIA.   ¡Habla!

FEDRA.   ¡Otórgamelo!

EUSTAQUIA.   Por otorgado…

FEDRA.   Toma esta carta. Es mi última confesión, la de mi crimen; es la verdad entera. Sin ello la Virgen, mi Virgen de los Dolores, no me perdonaría. Cuando haya yo muerto, cerrados estos ojos y esta boca que llevará su último beso, entrega esta carta a Pedro, a su padre. ¿Se la entregarás?

EUSTAQUIA.   ¡Sí!

FEDRA.   ¿Me lo juras?

EUSTAQUIA.   Te lo juro, pero…

FEDRA.   ¡Oh, no, no! Quiero vivir pura en su memoria…

EUSTAQUIA.   Pues lo que es así…

FEDRA.   Así; sólo la verdad purifica. No descansaría mi alma, iríase al infierno si Hipólito quedase bajo el peso de mi calumnia. No quiero usurpar después de muerta una honra que no me pertenece. Quiero que se abracen padre e hijo sobre mi recuerdo. Y ahora vuelvo a recordar a mi madre… ¿cómo murió?

EUSTAQUIA.   ¡Deja eso!

FEDRA.   Sí, murió pura, besándome. Y yo moriré pura también. Sólo la verdad purifica. Todo lo verdadero y lo verdadero solo es limpio. Si no me presento con la verdad, ¿cómo me admitirán en el cielo y me perdonarán lo mucho que he pecado en gracia a lo mucho que he amado? [67] ¿No

<hr />

[67] Réplica de las palabras de Jesús según el Evangelio de San Lucas, 7, 47.

es verdad, ama, que Nuestra Señora de los Dolores, que
su divino hijo me perdonarán?

EUSTAQUIA.   Si crees, confiesas y te arrepientes...

FEDRA.   Oh, sí, sí, ahora creo, ahora sí que creo y reco-
nozco y confieso mi crimen... el último sobre todo, el de
mi muerte. ¡Perdón, Jesús mío, perdón! Jesús mío, maestro
del dolor, tú con el dolor me has dado la fe salvadora.
Nunca hubiese creído que en vaso tan frágil como cuerpo
de mujer cabría tanto dolor sin hacerlo pedazos.

EUSTAQUIA.   ¡Pero esto que has hecho, Fedra, esto es
un pecado muy grande!

FEDRA.   Sí, lo sé, pero di, ¿no es un sacrificio?

EUSTAQUIA.   El sacrificio habría sido decir la verdad,
toda la verdad.

FEDRA.   ¿Sin la muerte? No, sin muerte no hay sacrificio.

EUSTAQUIA.   Pero la muerte es Dios quien...

FEDRA.   ¡Dios me la manda!

EUSTAQUIA.   ¡No blasfemes, Fedra!

FEDRA.   ¡Oh, Jesús mío, sigo loca, loca; cúrame con la
muerte tú que te dejaste matar en cruz para curarnos...[68]
¡Perdóname! Y ahora vamos, entremos, quiero acostarme;
no puedo ya tenerme en pie... ¡Vendrá, sí, vendrá! *(Se reti-
ra apoyada en el brazo de Eustaquia.)*

[ESCENA II]

PEDRO y MARCELO

PEDRO.   *(Entrando con Marcelo.)* De modo que...

MARCELO.   Esto es cosa grave, gravísima. Ya ayer me
temía... ¡Y esta mañana peor! Temo...

PEDRO.   Hasta...

MARCELO.   Sí, hasta eso. Ha sido terrible, fulminante...
no me lo explico... alguna traidora dolencia... pesares...

[68] AA. y E.: *Cúrame con la muerte. Tú, que te dejaste matar*

PEDRO.   Y grandes…

MARCELO.   El corazón está deshecho.

PEDRO.   Sí, deshecho el corazón, pero, dime, por lo que más quieras, Marcelo, dime, ¿sabes algo?

MARCELO.   ¿De su enfermedad?

PEDRO.   De la de su alma.

MARCELO.   El alma no entra en mi profesión. Y si he de decirte la verdad no creo en ella ni en sus enfermedades.

PEDRO.   Pero…

MARCELO.   Dejemos ahora eso. Lo urgente es tratar de curarla si es posible y me temo que no; alargarle la vida cuanto se pueda y será muy poco, y en todo caso y esto es lo más seguro, que no sufra. *(En este momento sale del cuarto Eustaquia.)*

PEDRO.   ¡Sí, sí, nada de sufrir! *(A Eustaquia.)* ¿Cómo va?

EUSTAQUIA.   Cada vez peor.

MARCELO.   Entremos a verla. *(Entran.)*

[ESCENA III]

[EUSTAQUIA] [69]

EUSTAQUIA.   Esto se va… ¡Pobre Fedra! ¡A lo que llevan estas pasiones! Jamás la hubiese creído capaz de semejante cosa. Y no puedo quitarme de la cabeza a su madre y aquella muerte tremenda. Parece que con aquel beso, lo único que de ella recuerda ésta, le transmitió su alma y su sino. Y esa medalla, esa medalla, ¡qué cosas secretas ha oído! ¡Qué ardores la han calentado! Me pidió más agua *(llama)* y salí a respirar. Parece morirse de sed… está que abrasa. *(A Rosa que aparece.)* ¡Trae más agua, Rosa!

---

[69] A.: EUSTAQUIA, *sola. La Pluma* omite la acotación.

[ESCENA IV]

Eustaquia y Rosa

Rosa. ¿Y cómo sigue?

Eustaquia. Mal, muy mal, cosa perdida, Rosa.

Rosa. ¡Ay Dios mío! Morirse así, tan joven, tan de repente, tan sin sustancia... Y cuando iba a amadrinar mi boda...

Eustaquia. ¿Quién? ¿Fedra?

Rosa. Sí, me lo había prometido, aunque ya al último buscaba excusarse [70] diciéndome tener mala mano y que llevaría la desgracia a mi matrimonio.

Eustaquia. Es posible. Pero ya lo ves, no lo quiere el cielo...

Rosa. Esto, esto sí que parece traer desgracia... mal agüero... ¡Pobre señorita Fedra! Voy por el agua. *(Desde la puerta al ir a salir.)* Aquí está...

Eustaquia. ¿Quién? *(Vase Rosa.)*

[ESCENA V]

Eustaquia e Hipólito.

Hipólito. *(Desde la puerta.)* Yo.

Eustaquia. ¡Oh, Hipólito, adelante!

Hipólito. ¿Y Fedra?

Eustaquia. Mal, muy mal, se muere y de prisa. Por eso se te ha llamado.

Hipólito. ¿Se muere? ¿De qué?

Eustaquia. ¡De pasión!

Hipólito. ¡Qué fatalidad! Jamás lo hubiese creído. Y yo, yo tengo la culpa. *(Pasa Rosa hacia el cuarto llevando el agua.)* Yo...

Eustaquia. ¿Por qué? ¿Por no haber cedido?

[70] A.: *excusas*

HIPÓLITO.   ¡Eustaquia…!

EUSTAQUIA.   Ah, vamos.

HIPÓLITO.   No, eso nunca, nunca, nunca. Pero acaso pude yo poner remedio a tiempo. ¿Cómo viví tan ciego? ¿Cómo no lo adiviné antes? ¡Qué torpes, qué brutos somos los hombres!

EUSTAQUIA.   Algo…

HIPÓLITO.   No vemos la sima hasta que estamos a su borde. ¿Cómo pude vivir junto a ella tan ciego? ¿Cómo no entendí sus besos?

EUSTAQUIA.   Es que hay cosas que vosotros los hombres creéis se os deben [71] de juro y por eso no reparáis en ellas. Un hombre rara vez entiende de diferencia de amores; sois todos egoístas, libertinos por egoísmo y por egoísmo virtuosos…

[ESCENA VI]

DICHOS y ROSA. [72]

ROSA.   *(Que sale llorando.)* ¡Pobrecilla! ¡Da pena! Me llamó, me dio excusas por no poder ya amadrinar mi boda; "aunque te lo prometí" decía… como si fuese suya la culpa… ¡Y consejos! No tendré otra ama que más me quiera. *(Vase.)*

[ESCENA VII]

EUSTAQUIA e HIPÓLITO.

HIPÓLITO.   Sí, mi virtud, una virtud ciega, era egoísmo. Sintiéndome firme no sentí que se caía ella… Y luego aquella vida de campo en que busqué alimento a mi exceso de vitalidad… aquello me hizo torpe. ¡Y yo que recuerdo ha-

[71] A.: *debe*
[72] A.: EUSTAQUIA, HIPÓLITO y ROSA

bérsela recomendado a ella invitándole[73] a ir conmigo, solos los dos, al campo! Acaso habría sido mejor, acaso habría yo visto claro más a tiempo... No, no me lo perdono...

EUSTAQUIA.   Es ya tarde...

HIPÓLITO.   Siempre es tarde. ¡Pobre madre! ¿Y quiere
verme antes de morir? También yo. Para pedirle perdón de
mi torpeza, de mi ceguera, de mi brutalidad de cazador que
no advertí cómo se caía y no la sostuve a tiempo, antes que
la cosa no tuviese ya[74] remedio...

EUSTAQUIA.   Y ahora este terrible paso... no ha sabido
esperar... Ya le decía yo que esperase, que era aún joven,
que erais jóvenes...

HIPÓLITO.   ¡Calla, calla! ¡Un padre nunca muere!

EUSTAQUIA.   Mira, tu padre está ahí dentro; en el cuarto, con Marcelo, y no conviene que te pueda ver así, tan
de súbito, si sale, y sin aviso. Ve ahí, al gabinete, y espera.
Alguien sale. (Vase Hipólito.)

[ESCENA VIII]

EUSTAQUIA y MARCELO.

MARCELO.   (Saliendo.) Bueno, señora, ahora que estamos, al parecer, solos, usted tiene que saber la verdad.
¿Qué ha sido esto?

EUSTAQUIA.   Disgustos...

MARCELO.   Los disgustos no matan así. Necesito saber
la verdad. ¿Qué ha sido?

EUSTAQUIA.   Pues... lo que usted supone.

MARCELO.   Se tomó unas pastillas...

EUSTAQUIA.   Tres o cuatro. ¡Pero, por Dios, don Marcelo...!

MARCELO.   No tenga usted cuidado; sé cuál es mi deber en cada caso. Y no pregunto más, porque lo otro...
lo adivino.

---

[73] E.: *invitándola*
[74] A. omite: *ya*

EUSTAQUIA.   ¿Qué? ¿Qué es lo que adivina?

MARCELO.   ¿Para qué soy médico, señora? Además conocí a su madre, a la madre de Fedra, he conocido a su hermana, sé algo, por tradición de familia, de su abuela...

EUSTAQUIA.   Dejemos viejas historias...

MARCELO.   Sí, dejémoslas; pero, señora, hay cosas que van con la sangre...

EUSTAQUIA.   ¡Don Marcelo!

MARCELO.   ¡No, si no he dicho nada! Bien traté de disuadir al pobre Pedro y eso que de ella...

EUSTAQUIA.   Sí, de ella, ¿qué tenía que decir? ¿Qué tiene ahora?

MRCELO.   Nada. ¡Es ella misma quien se ha juzgado!

EUSTAQUIA.   No la juzguemos, pues, nosotros.

MARCELO.   Verdad; se juzgó, se condenó, hay que respetar la santidad de la cosa juzgada. ¡Pobre Pedro! [75] En fin, voy en tanto a ver cerca otro enfermo; aunque aquí ya no hago falta. *(Vase.)*

[ESCENA IX]

EUSTAQUIA y PEDRO.

PEDRO.   *(Saliendo del cuarto.)* Pregunta por usted y por...

EUSTAQUIA.   Ahí, en el gabinete está.

PEDRO.   Pues, sí, que venga... que la vea... *(Va Eustaquia a buscar a Hipólito.)* ¡Dios mío, dame fuerzas para soportar esto! Mi debilidad me basta. [76] Estoy acorchado. No sé si vivo...

[75] AA. y E.: *¡Pobre Fedra!*
[76] Podría resonar aquí el recuerdo de un texto de San Pablo en II *Cor.*, 12, 9-10.

[ESCENA X]

Eustaquia, Pedro e Hipólito.

Entra Hipólito con Eustaquia y se queda cabizbajo frente a su padre que le mide un momento en silencio con la mirada.

Pedro. ¿Estás otra vez aquí ya?

Hipólito. Me mandaste llamar...

Pedro. ¡Yo no! Ella... ¡ella a quien has matado! *(Se cubre la cara.)*

Hipólito. ¡Padre, padre, perdón!

Pedro. ¿Perdón? ¡Ve a pedírselo a ella! Y es ella, ella la que dice te llama para pedírtelo... ¡Pedirte ella perdón...! ¡Ve si su corazón es grande!

Hipólito. Sí, necesito su perdón, por haber vivido tan ciego, por no haber...

Pedro. ¡Es ya tarde! ¡Pero antes que sea más tarde aún, entra! ¡Entra a que te perdone, entra!

Hipólito. Contigo, padre...

Pedro. ¿Eh? ¿Cómo? ¡No! ¡Entra solo! ¿O has dejado acaso de ser mi hijo? Veos solos, cara a cara de la muerte... ¡Ve tu obra en todo su horror!

Hipólito. ¡Padre!

Pedro. ¡Te he dicho que entres! *(Entra Hipólito.)*

[ESCENA XI]

Pedro y Eustaquia.

Pedro. ¡Yo también quiero morirme, ama, y que muramos todos! ¿Para qué vivir? ¿Para qué haber nacido? Y luego...

Eustaquia. Luego... ¿qué?

PEDRO.   Nada, cosas que oye uno por dentro, dichas por una vocecilla de demonio cuchicheándonos en lo oscuro, cuando se está a solas y no quiere uno oír, no debe oír...

EUSTAQUIA.   No, no debe oírlas...

PEDRO.   ¿No oye usted? ¡Esos sollozos dentro! ¿Qué se dirán?

EUSTAQUIA.   ¡Entre usted a oírlo!

PEDRO.   ¡No, eso es sagrado! Ahora llora... ahora silencio... ¡qué silencio!

EUSTAQUIA.   *(Aparte.)* ¡El último beso... el primero!

[ESCENA XII]

DICHOS e HIPÓLITO.

HIPÓLITO.   *(Saliendo descompuesto.)* Se está acabando, padre, y quiere despedirse de ti.

PEDRO.   ¿Qué, te perdonó?

HIPÓLITO.   ¡Sí, y Dios nos perdonará a todos!

PEDRO.   ¡Terrible penitencia la que te aguarda, terrible! *(Entra al [77] cuarto.)*

[ESCENA XIII]

[HIPÓLITO y EUSTAQUIA.] [78]

EUSTAQUIA.   ¿Qué?

HIPÓLITO.   Esto es superior a mis fuerzas; vale más luchar a puñetazos con un oso enfurecido. Diga, ama, ¿qué ha sido esto?

EUSTAQUIA.   ¡Hijo mío!

HIPÓLITO.   Vamos, ¿qué ha sido?

[77] A.: *en el*
[78] Así A. *La Pluma* omite la acotación.

EUSTAQUIA.   Pues, lo que te figuras…

HIPÓLITO.   ¡Qué horror! ¡Sí, yo, yo la he matado con mi ceguera, yo! ¡Pobre madre! ¡Pobre padre!

[ESCENA XIV]

DICHOS y PEDRO. [79]

PEDRO.   (Saliendo.) Descansó al fin. (Siéntase sollozando.) Cuando entré apenas si tenía fuerzas para mirarme… ese perdón acabó con las que le quedaban… ni pudo siquiera darme el beso de despedida… parecía no verme… miraba no sé a dónde… Sólo sacó un hilito de voz para hablarme de no sé qué última confesión escrita que usted, ama…

EUSTAQUIA.   Eso para más adelante…

PEDRO.   ¡No, ahora, ahora mismo!

HIPÓLITO.   Pero padre…

PEDRO.   ¿Padre? ¿Eh? ¿Qué es eso? A ver, ¿qué es? ¿Aún hay más secreto? ¿Sabré al fin la verdad toda? (Va hacia el hijo.)

EUSTAQUIA.   (Interponiéndose.) ¡No, no! ¡sea! (Entré gale la carta que Pedro se pone a leer.)

HIPÓLITO.   (A Eustaquia.) ¿Y eso, qué es?

EUSTAQUIA.   La verdad.

HIPÓLITO.   ¿La verdad? ¿Toda la verdad?

EUSTAQUIA.   ¡Sí, la verdad toda!

HIPÓLITO.   ¡Oh…! (Intenta ir al padre, pero se detiene.) ¡Pero, sí, sí! ¡Ahora hace falta la verdad, por él, por mí, por ella, por su mejor memoria y por la verdad misma sobre todo!

PEDRO.   (Yendo a Hipólito con la carta en la mano.) Y esto que dice aquí, hijo, ¿qué es?

HIPÓLITO.   ¡La verdad!

PEDRO.   ¿Toda la verdad?

[79] A.: HIPÓLITO, EUSTAQUIA y PEDRO.

HIPÓLITO.   Sí, toda; la verdad desnuda, la verdad después de la muerte.

PEDRO.   ¿Y por qué no me la revelaste antes, hijo mío?

HIPÓLITO.   ¿Quién? ¿Yo? ¿Contra ella? ¿Contra ti? ¿Contra tu paz, tu sosiego y tu honor? ¿Y para qué? ¿Sólo para defenderme?

PEDRO.   ¡Sí, bien hecho! ¡Eres mi hijo, hijo mío, de mi sangre! Pero cómo has podido dejar así... ¡Oh, no, no, no, estoy como loco, no sé lo que me digo... no sé si estoy muerto o vivo...! ¡Hijo! ¡Hijo! ¡Hijo mío! [80]

HIPÓLITO.   *(Yendo a sus brazos.)* ¡Padre!

PEDRO.   *(Mientras le tiene abrazado.)* ¡Después de todo ha sido una santa mártir! ¡Ha sabido morir!

HIPÓLITO.   ¡Sepamos vivir, padre!

EUSTAQUIA.   ¡Tenía razón, es el sino!

FIN [81]

[80] A.: *¡Hijo! ¡Hijo mío!*
[81] A.: FIN DE / "FEDRA". E.: FIN DEL DRAMA.

ÍNDICE DE LÁMINAS